CLAUDE MAURIAC

# PETITE LITTÉRATURE
# DU CINÉMA

# COLLECTION " 7.ᵉ Art "

# PETITE LITTÉRATURE DU CINÉMA

DU MÊME AUTEUR

L'Amour du Cinéma *(Albin Michel)*.

*En préparation :*

Mythes et Visages du Cinéma.

CLAUDE MAURIAC

# PETITE LITTÉRATURE DU CINÉMA

" 7e Art "

LES ÉDITIONS DU CERF

29, Bd Latour-Maubourg — PARIS 7e

1 9 5 7

# AVANT-PROPOS

*L'écriture cinématographique a tous les pouvoirs. Ce n'est point la faute du cinéma, mais celle des cinéastes, si les adaptations des chefs-d'œuvre de la littérature sont toujours décevants.*

*Shakespeare, Stendhal, Tolstoï ont un génie sans commune mesure non point peut-être avec quelques créateurs privilégiés de l'écran, mais avec ceux qui ont cru pouvoir les choisir pour scénaristes.*

*C'est pourquoi j'ai délibérément négligé dans cette* Petite Littérature du Cinéma *les films inspirés par les maîtres anciens du drame ou du roman.*

*Il est des cas très rares mais exemplaires où les problèmes de la transcription cinématographique ne peuvent être l'objet d'aucune controverse : ceux où les auteurs des œuvres littéraires originales et ceux des films qui en ont été plus ou moins librement tirés sont les mêmes artistes.*

*Telle est la situation d'un Jean Cocteau, telle apparaît celle d'un André Malraux sur l'œuvre cinématographique desquels s'ouvre cet essai.*

*Il est aussi des écrivains dont le rayonnement est si puissant qu'il illumine des films auxquels ils n'ont collaboré qu'indirectement, si même ils n'en ont pas seulement fourni les thèmes initiaux : Jean-Paul Sartre et Graham Greene fournissent des exemples particulièrement significatifs de cette imprégnation qui ne se manifeste, semble-t-il, qu'avec certains auteurs contemporains, donc proches de nous.*

*Cette* Petite Littérature du Cinéma *aurait d'autre part été incomplète, malgré son propos limité, si je n'y avais inclu les écrivains de l'écran, je veux dire les metteurs en scène qui s'expriment de façon aussi subtile et complexe dans leurs films que les littérateurs de qualité équivalente dans leurs livres. Ce sont les Robert Bresson, les Luis Bunuel, les Jean Renoir, les Orson Welles et quelques autres encore. En reprenant certaines de mes chroniques du* Figaro Littéraire *ou en m'en inspirant, j'ai présenté ainsi les œuvres les plus récentes de ces créateurs inspirés.*

*Plusieurs films de gangsters ont été, ces dernières années, d'une qualité telle que j'ai cru pouvoir les inclure sans abus dans cette recension. Le Jacques Becker de* Touchez pas·au grisbi *est digne de figurer parmi les maîtres.*

*On trouvera enfin quelques considérations sur la peinture, la bonne et la mauvaise. Il advint en effet à des œuvres plastiques d'inspirer, aussi bien ou aussi mal que certaines œuvres littéraires, des films dont certains, comme* Le Mystère Picasso *de Henri-Georges Clouzot, sont de toute première importance.*

C. M.

PREMIÈRE PARTIE

# ÉCRIVAINS ET CINÉMA

# I

## JEAN COCTEAU

Il se trouve — et ceci n'est point un hasard — que deux de nos meilleurs cinéastes sont aussi et surtout deux grands écrivains français. J'ai nommé André Malraux et Jean Cocteau. Il est également significatif que les pages qu'ils ont l'un et l'autre consacrées à l'art du film soient les plus lucides et les plus fécondes de la critique contemporaine. C'est qu'ils ont compris tous les deux que le cinéma est une écriture qui peut servir aussi bien et souvent mieux qu'une autre à dire ce qui compte le plus pour un artiste, cela dont il est hanté et qu'il essaye, d'œuvre en œuvre, de toujours mieux exprimer. D'où ce mot suranné, mais que Jean Cocteau affectionne et qu'il rend à sa fraîcheur première : le cinématographe.

Alors que Malraux, dans les quelques pages décisives qu'il y consacra avant la guerre, s'attachait à la grammaire et à la syntaxe de cette neuve écriture, Cocteau s'intéresse surtout à ses différents styles concevables, pour mettre l'accent sur celui qui importe principalement aux poètes. Mais il faut éviter les contresens. Selon Cocteau, « le style poétique » est encore plus détestable au cinéma que dans les autres arts. Si le sujet du film appelle la poésie, on devra éviter un pléonasme entre le texte et les images qui le réexpriment, donc canaliser le jaillissement de l'inspiration grâce à un scénario et un dialogue aussi rigoureux et précis que possible. Cocteau fait montre dans ses films, qui sont sa sinon la poésie même, d'une complète indifférence à l'égard de ce que le public est spontanément porté à trouver poétique et qui est anti-poésie. Il s'agit seulement de donner par l'entreprise du cinéma un nouveau véhicule au merveilleux. « Ma méthode est simple, avoue-t-il : ne pas me mêler de poésie. Elle doit venir d'elle-même. Son seul nom prononcé bas l'effarouche. »

Prise de position qui n'est pas nouvelle chez notre auteur et qu'il a toujours défendue. Ne pas vouloir faire de la poésie alors qu'on se veut poète est un de ces pièges que l'on se tend à soi-même en le camouflant afin d'y tomber plus sûrement. Chacun a sa méthode ; seul compte le résultat : Cocteau est la première victime (volontaire et tout à la fois inconsciente) du *trompe l'esprit* auquel il fait délibérément appel. Ce qui réintroduit l'authenticité dans son art au moment où il en semblait le plus éloigné. Ici encore, ici surtout (ou seulement) la fin justifie les moyens : « Je m'obstine à le redire, a-t-il encore déclaré : merveilleux et poésie ne me concernent pas. Ils doivent m'attaquer par embuscade. Mon itinéraire ne doit pas les prévoir. Si j'estime que tel terrain d'ombre est plus favorable qu'un autre à les abriter, je triche. »

Étant poète, Jean Cocteau ne peut de toutes façons nous offrir autre chose que de la poésie, même lorsqu'il travaille pour le grand public, ce que le cinéma exige de lui comme de n'importe quel fabricant de films à la chaîne. L'œuvre réalisée, à quelques exceptions près que nous dirons, sera alors un compromis entre ce que les commanditaires prétendent que le public désire et ce que le poète veut créer malgré eux et malgré lui, public, de moins convenu, en étant du reste certain de répondre à une obscure attente de la foule. *Le Baron fantôme*, que Serge de Poligny a signé mais où l'intervention de Cocteau apparaît au delà des seuls dialogues qu'il a reconnus, *L'Éternel retour* de Jean Delannoy, où il prit une part avouée plus grande encore puisqu'il en écrivit le scénario, appartiennent à cette première catégorie : celle où « la lourde charge des millions et du temps qui court » entrave la libre création. Si nul ne peut disputer à Cocteau l'entière paternité de *L'Aigle à deux têtes*, de *La Belle et la Bête* et des *Parents terribles*, s'il réussit en grande partie à y échapper à « la paralysie de l'argent et au poids, au manque de souplesse des appareils de 35 et des rails », il reste qu'il n'a trouvé dans le cinéma une totale liberté de création qu'à deux extrêmes de sa carrière : avec *Le Sang d'un poète* (1930-31) et avec *Orphée* (1950).

Grâce à la belle générosité du vicomte de Noailles,

*Le sang d'un poète.* [Cl. Cahiers du Cinéma.]

Jean Cocteau disposa une première fois dans sa vie au cinéma d'une liberté entière. Cette chance, notre auteur qui ne pèche jamais par ingratitude, est le premier à la reconnaître : « Le cinéma est inabordable. Il ne peut tomber entre les mains des poètes, et s'il y tombe, on leur demande les pires sacrifices. Pour *Le Sang d'un poète*, on m'a laissé libre. C'est un cas unique, et, si on aime ce film, il faut le faire entrer en ligne de compte, pour que je n'aie pas la part trop belle. » On lui laissa les mains libres, c'est un fait. Mais qu'allait-il faire de ses mains ? Le film n'a pas vieilli dans la mesure où la mode en est toujours au même point. L'écran est éclaboussé de faux sang, hanté de faux anges. On y jongle avec le Bien, avec le Mal, avec la Mort. Jeux habituels à Cocteau mais plus graves qu'on ne croit. Nous admirons la fidélité de ce nouvel instrument d'expression qu'est la caméra. Jean Cocteau en fait ce qu'il veut. C'est ce qui nous paraît important. Et qu'il l'utilise, une fois de plus, pour dessiner d'insolites arabesques dont les courbes en se refermant prennent parfois au piège des secrets jusque-

là invisibles. Jean Cocteau a toujours écrit à l'encre sympathique. Un souffle du poète et les blancs de la page se couvrent
de dessins et de signes. Ce que Cocteau a nommé *l'encre de
lumière*, le cinématographe, est la plus mystérieuse de toutes
les encres.

Plus de vingt ans après, Cocteau essaya d'imposer la
méthode qu'il découvrit alors et qui est absence de méthode :
à savoir que les règles sacro-saintes du métier sont le plus
souvent d'inutiles entraves. « Il n'y a pas de technique du
film, a-t-il pu déclarer. Il y a la technique que chacun se
trouve » : c'est celle qui s'adapte le plus étroitement à ce
que l'auteur entend exprimer. Aux « cela se fait », « cela
ne se fait pas » de l'École, Cocteau répond par un ironique
étonnement. On ne passe pas d'un plan éloigné à un gros
plan ? Mais quand vous employez vos jumelles aux courses,
que faites-vous ? Et d'en appeler à « la merveilleuse leçon
de Charlie Chaplin dans *Monsieur Verdoux*, qui est un chef-
d'œuvre de désinvolture vis-à-vis des règles », notamment
à ce passage de la barque minuscule au gros plan de
M. Verdoux ramant. Cocteau nous dit lui-même que *Le Sang
d'un poète* et, à un même titre, *La Belle et la Bête* qui, aussi
étrangement, porte sa griffe, s'adressent aux *aficionados* :
« Je n'y tue certes pas le taureau selon les règles. Mais ce
mépris des règles ne va pas sans un mépris du danger
qui excite un grand nombre d'âmes. »

*
**

Dans le vrai cinéma, le texte est sans doute ce qu'il y a
de plus important. Je ne parle pas seulement de la continuité
des scènes et du dialogue, mais surtout de l'invention et
de l'indication de ce qui sera dans chaque plan cadré par
la caméra et qu'il reviendra au chef opérateur de mettre
en forme : « Le cadre du cinéma est une page d'écriture »,
mais dont le moindre paraphe doit être chargé autant de
sens que de beauté. « Il est probable, a noté Cocteau, que
l'écriture d'un auteur est la base même d'un film parlant,
mais ce n'est qu'une base. La véritable syntaxe d'un film
reste muette et sans mots. Le style est visuel. C'est d'après
cette écriture, d'après le mécanisme des prises de vues et le
rythme dans lequel on les enchaîne que doit se reconnaître
la langue du cinéaste. »

Ceux que l'on appelle abusivement les auteurs de films se contentent encore presque toujours de raconter au plus vite une histoire qui leur est en général indifférente. Ils croient que le public demande seulement aux films de le distraire, et qu'il est indifférent au style, à l'esthétique, à la philosophie, à la mythologie et à la métaphysique personnelles d'un auteur. Or, le public n'est pas *un* : pour cette première raison qu'un même public a des exigences différentes, dont les plus profondes sont souvent ignorées de lui-même ; ensuite parce qu'il existe plusieurs publics et que s'il y a beaucoup de lecteurs pour Dekobra il en est aussi pour acheter Kafka. A la limite, pense avec raison Jean Cocteau, on ira voir tel ou tel film comme on acquiert tel ou tel livre.

Jean Cocteau n'est pas seulement un amuseur, ainsi qu'on le pense encore trop souvent ; il l'est de surcroît : c'est sa récompense et la nôtre. Mais au départ il n'écrit rien, que ce soit ou non pour le cinéma, qui ne lui tienne à cœur. Il n'est dès lors pas étonnant qu'un épisode de son enfance qui l'a marqué à tout jamais, celui d'un collégien blessé par une boule de neige, réapparaisse à la fois sous des formes diverses dans son œuvre littéraire (notamment en un passage des *Enfants terribles*) et dans *Le Sang d'un poète*. C'est pourquoi ses films présentent de telles possibilités d'exégèse. Mais si l'on interroge Cocteau sur l'une d'elles, il se trouve souvent en peine pour nous répondre et d'autant plus qu'il est possible, nous dit-il, que « la caméra enregistre à l'avance, autour des êtres et des choses, tout ce que l'homme ne découvre pas ». Cocteau sourcier, Cocteau sorcier attend de *la poésie cinématographique* ce même pouvoir révélateur qu'il exigeait de ces autres modes d'expression poétiques que sont (et nous reconnaissons son vocabulaire) la poésie, la poésie de roman, la poésie critique, la poésie de théâtre et la poésie graphique.

Il y avait beaucoup de trucages dans *Le Sang d'un poète* et plus subtils pour la plupart que leur première apparence. On ne décelait que la plongée dans la glace, le cœur battant, la statue vivante. Mais il y avait aussi ces artifices plus secrets : les yeux peints sur les paupières de Mlle Miller afin de lui donner l'air d'être là et ailleurs, ou la marche incompréhensible du poète, sorte de reptation déroutante qui venait de ce que l'acteur se traînait en réalité sur le sol et qu'après avoir tourné la scène à plat on l'avait redressée.

Mais, sans toujours renoncer à ces trucages (notamment dans *Orphée* où il a repris ceux de son premier film en les rendant plus saisissants encore grâce aux progrès de la et de sa technique), Cocteau essaye de plus en plus souvent d'attaquer le merveilleux de face. S'il n'a point tout à fait raison de penser que ce n'est pas dans le château mais dans le garage de *L'Éternel retour* que la poésie fonctionne à plein, il ne se trompe pas en préférant à cet autre château de *La Belle et la Bête*, l'épisode de la basse-cour et de la chaise à porteur, « scène qui ne relève d'aucun phantasme apparent » ; ni en voyant dans la noire et luxueuse automobile d'*Orphée* et dans son poste de radio autant d'éléments familiers à tous et pourtant novateurs de merveilleux : « Plus on touche au mystère, plus il importe d'être réaliste. »

Entre ce jansénisme souhaité de l'exécution et le romantisme flamboyant de l'inspiration, l'équilibre ne se fait pas toujours de façon aussi parfaite que Jean Cocteau le souhaiterait. Et c'est sans doute tant mieux. Lui qui aime *voler par machines*, comment renoncerait-il à sa plus chère vocation en ce domaine privilégié du fantastique mécanique qu'est le cinéma ? Avec *Les Parents terribles* (1949) il a pourtant obtenu de lui-même une rigueur jamais atteinte. Que son *Orphée*, aussi minutieusement gouverné et concerté, mais élaboré par des moyens antinomiques, soit encore plus réussi ne prouve-t-il pas que Cocteau a raison de se laisser aller à sa tentation qui est celle de la magie, et de la magie née de la machinerie ?

*\* \**

L'auteur des *Parents terribles* replie jusqu'à l'ultime possibilité le cinéma sur lui-même en le faisant coïncider avec la pièce qui est à l'origine du film. Non qu'il ait renoncé à aucune des possibilités de la caméra dès lors que demeuraient respectées les lois de l'art dramatique. La division en trois actes subsiste sans aucun changement de décor à l'intérieur de chacun d'eux. La caméra ne quitte point le plateau, elle ne risque pas le moindre coup d'œil par les fenêtres dont restent clos les volets. Tout au plus un petit appartement, avec ses quelques chambres, prolonge-t-il les trois murs de la scène. Mais Baty avait imaginé un décor autrement complexe pour Dostoïevsky ou Musset : nous pourrions dire qu'en construisant la coupe d'une maison, il faisait beaucoup plus du cinéma sur la scène que Cocteau sur l'écran, si c'était cela le cinéma. Mais que l'on juge selon l'optique du cinéma ou selon celle du théâtre, c'est Cocteau qui a raison.

Aussi bien a-t-il gagné la partie au delà de toute espérance. En respectant scrupuleusement son texte, il l'a rendu plus expressif : la pièce était bonne, le film est excellent ; il est émouvant, alors qu'elle n'était que brillante. Les interprètes sont les mêmes : Yvonne De Bray, Gabrielle Dorziat, Jean Marais ; mais ils cessent d'être de prodigieux comédiens pour devenir prodigieusement humains. Bien que la *présence* cesse de jouer, le contact est plus immédiat qu'au théâtre. En dépit des personnages de chair et des objets réels, la rampe dressait un voile sans épaisseur entre l'action et nous. La photographie sans relief recrée au contraire le relief de la vie : l'écran plat, c'était la scène ; la scène profonde, c'est l'écran. Telle est la superposition miraculeuse que réalise le cinéma entre la réalité et sa représentation, l'art s'introduisant à la faveur d'un imperceptible décalage.

(Élie Faure écrivait en 1934 : « *Marius*, vu d'abord au théâtre, ensuite au cinéma, nous a appris que le cinéma, loin de ruiner le théâtre, le sauve. L'accent, le relief, la majesté architecturale, le réalisme transcendant, l'aspect en quelque sorte symbolique que les mêmes scènes et les mêmes acteurs prennent sur l'écran font apparaître leur présence réelle sur les planches extraordinairement falote, pâle, indistincte et molle comme un souvenir presque indifférent... »)

Mais si la caméra nous délivre du face à face monotone de la scène, le théâtre redonne au cinéma, sous une autre forme, l'enrichissement qu'il en avait reçu. Par la faveur du texte, d'abord, qui est dans *Les Parents terribles* de qualité (en dépit de quelques défaillances passagères). Mais surtout grâce aux lois d'un genre qui, en passant de la scène à l'écran, abandonne ses conventions sans rien perdre de sa rigueur. Les échafaudages tombent. Reste le monument dans la pureté nue, ailée, jaillissante, de ses hautes lignes.

L'unité de temps, d'action, de lieu était sur le théâtre une nécessité matérielle. Il fallait que tout se passât en un délai donné, dans des décors précis. Mais le cinéma avait la possibilité, s'il le voulait, de lever l'ancre. Il pouvait

fouetter les chevaux de la « roulotte » et obliger d'autres
paysages à défiler sous nos yeux reposés. S'il ne le faisait
pas, c'était donc que l'action se déroulait de façon effective
et inéluctable en quelques heures, entre ces quelques murs.
Non sur une scène, ni même sur un écran, mais dans l'existence vécue. D'où une intensité dramatique accrue.

Derrière cette fenêtre aveugle, il n'y a pas de coulisses
mais la ville et la vie. Seulement, nous n'avons pas le droit
de nous pencher dehors pour respirer, ne fût-ce qu'une
minute. C'est ici que cela se passe et, de gré ou de force,
nous y resterons, loin de la terre des hommes dont ne nous
parvient qu'un seul appel — celui d'une voiture de pompiers,
comme dans *La splendeur des Amberson* — et d'autant
plus émouvant qu'il ne se renouvelle pas. On ne nous fera
même pas grâce d'une minute. Il résulte en effet du
respect dans lequel a été tenu le texte, que le temps de
l'action et · celui du déroulement matériel du spectacle
coïncident exactement durant les actes, ce qui est toujours
le cas au théâtre, mais ne se réalise que de façon exceptionnelle au cinéma. La conséquence est une impression difficilement tolérable, à la longue, d'*aliénation*. Nous sommes
privés continûment de notre liberté et rivés corps et âme
à un drame qu'il nous faut assumer dans sa totalité. Par
bonheur, celui-ci ne va pas sans ironie. L'amour et la mort
n'empêchent pas l'amour des mots. L'auteur n'oublie
jamais de s'amuser et de nous amuser. C'était peut-être
le point faible de sa pièce ; c'est assurément une des forces
de son film.

Lorsque tout est fini, la « roulotte » devient une vraie
voiture de bohémiens qui se met en marche et s'éloigne
dans un bruit de grelots. Ce sont les romanichels de la Mort
que salue la voix de Jean Cocteau, toujours étrangement
métallique au micro, mais d'un métal précieux qui semble
être une transmutation auditive de la poésie même.

* * *

Cette *voix d'or* nous accueille aux premières images d'*Orphée* pour nous guider dans une exploration plus lointaine
du merveilleux. Une fois de plus, Cocteau joue avec la Mort
— ce qui est la plus sûre façon non de l'apprivoiser mais
d'en faire une compagne familière dès cette vie — dans
l'espérance peut-être qu'elle le prenne vivant à son piège,

*Orphée.* [Cl. A. Paulvé.]

le jour venu, et que, mort, il puisse encore jouer avec la vie.
*Orphée* est d'un procédé exactement contraire à celui qui
triomphait dans *Les Parents terribles.* Cocteau tire ici du
cinéma le maximum de ses possibilités, trucage compris.
Du réel au surréel, de la nature au surnaturel, sa caméra
fait une incessante navette. Elle ramène de ses voyages des
visages et des objets que nous avons l'impression de voir pour
la première fois, même si nous savons qu'il s'agit des figures
bien connues et popularisées par l'écran de Maria Casarès
et de François Périer, ou des proches ruines, hélas trop
matérielles, de Saint-Cyr bombardée.

De même que nous identifions au premier regard un texte,
un dessin ou un ballet de Jean Cocteau, de même la moindre
des images d'*Orphée* porte la marque de son auteur. L'importance d'*Orphée* est sans doute de se présenter comme le
premier long métrage réalisé par un poète dont la subtilité
et la complexité sont la règle et qui, en écrivant pour l'écran,
ne fait aucune concession aux impératifs du commerce,
n'abandonne rien de sa liberté créatrice, reste aussi maître
de ses moyens matériels et de son inspiration que s'il se
trouvait seul dans son cabinet de travail devant une feuille
de papier.

Sans doute n'y a-t-il pas eu miracle avec *Orphée*, mais
confiance accrue du producteur, technique plus assurée
encore de la part du réalisateur, thème enfin en aucune sorte
artificiel sous les jaillissants artifices de son expression, mais
humain, au contraire, et particulièrement propice à devenir
un piège à poésie. Poésie telle que la sent, telle que l'a impo-
sée Jean Cocteau : quelque peu équivoque, fondamentale-
ment ambiguë, à quadruple fond, avec des épaisseurs de
signification superposées, ce qui fait que, du spectateur le
plus fruste au philosophe, chacun y trouvera son compte.

De sa pièce *Orphée*, créée en 1926 par les Pitoëff, Cocteau
n'a gardé (en dehors d'une totale liberté vis-à-vis du
mythe renouvelé et modernisé) que certaines phrases-clefs.
Celles-là mêmes que notre mémoire avait conservées comme
autant de formules magiques : « Je traque l'inconnu...
Je vous livre le secret des secrets. Les miroirs sont les portes
par lesquelles la Mort va et vient. Regardez-vous toute
votre vie dans une glace et vous verrez la Mort travailler
comme les abeilles dans une ruche de verre... » Le cheval
dont les incompréhensibles oracles enchantaient le poète
Orphée, est devenu une automobile luxueuse dont la radio

*Orphée.* [Cl. André Paulvé.]

surprend des messages analogues à ceux que Londres émet-
tait dans les années terribles : mais c'est la Mort qui tient
cet insolite langage.

Cocteau a creusé le mythe pour faire Orphée amoureux
de sa Mort et sa Mort amoureuse de lui. Sa Mort dont on
ne peut dire que Maria Casarès l'incarne, puisqu'elle semble
plus esprit que chair. Son masque apparaît plus qu'aucun
autre taillé par le ciseau de Dieu. Noire petite flamme

dévorante, elle consume autour de son corps gracile et fier tous les visages. Oui, ceux de Jean Marais-Orphée, de Marie Déa-Eurydice, d'Édouard Dermithe-Cégeste eux-mêmes. Elle ne s'avoue vaincue qu'en présence de l'impalpable, incorruptible et phosphorescente matière d'un autre visage de diamant devant lequel elle ne peut plus que rougeoyer sombrement : celui de François Périer-Heurtebise. Saviez-vous...? Mais non, vous ne saviez pas. Il fallait Jean Cocteau pour remodeler à neuf cette figure banalisée, avilie, trahie par des milliers de mètres de pellicule commerciale ; il fallait un poète pour dérouler une à une les bandelettes de ce Beau au bois dormant. Apprenez-donc que François Périer est beau, d'une beauté qui a juste autant à faire avec les traits physiques que la toile et les couleurs de Poussin, le papier et la plume de Gluck avec leurs *Orphée*. Nous avions souvent vu le cinéma dévoiler la bassesse essentielle d'un être. Mais il est beaucoup plus rare qu'il réalise ce prodige : photographier directement l'âme d'un homme.

Aidé par son opérateur, Nicolas Hayer, Cocteau a en quelque sorte photographié l'invisible. Tous les trucs auxquels nous lui reprochions parfois de faire appel dans le domaine de la littérature sont valables au cinéma où ils se révèlent peut-être comme les plus naturels moyens d'atteindre au surnaturel. Surnaturel, certes, peu orthodoxe.

C'est le privilège des poètes que de nous imposer leur philosophie, leur mythologie et leur métaphysique personnelles. Jean Cocteau y réussit si totalement dans *Orphée* qu'au moment où ses héros sont définitivement renvoyés sur la terre, nous sommes désolés, comme si la vraie vie c'était vraiment la mort. (Alors que, dans le mythe originel, nous souffrions au contraire de voir Eurydice et Orphée arrachés pour toujours au monde des vivants.) En me retrouvant dans la rue, il n'est pas une femme rencontrée aux lisières de l'ombre qui ne m'ait semblé flotter, entre vie et mort, et dont le visage ne m'ait rappelé le masque, aux yeux immenses ouverts sur l'au-delà, de Maria Casarès ; pas une voiture qui ne me soit apparue comme l'automobile même de la Mort, recueillant Cégeste sur le bord d'un trottoir et fonçant, escortée de motocyclistes casqués, vers des horizons pétrifiés et nus. Seules les séquences réalistes d'*Orphée* avaient parfois déséquilibré le film. Sans doute ces images du quotidien m'avaient-elles semblé décevantes parce que ces aperçus de l'au-delà, rêvés par un poète, avaient *au cinéma* décoloré la réalité et touché la vie d'une sorte de petite-mort. Mais ce quotidien retrouvé au sortir du film m'apparut au contraire frappé d'un *charme* dont je devais à Cocteau l'éphémère révélation. *Orphée*, sorte de poème ésotérique, présente plusieurs tranches de signification qui vont, en stries de plus en plus fines et profondes, des moins subtiles aux plus complexes. Si bien que chacun y trouvera son compte, à la fin : le public du samedi soir et celui que l'on pourrait dire du *lundi existentiel* avec Kafka : « Tu es réservé pour un grand Lundi ! — Bien parlé ! Mais le dimanche ne finira jamais... » Je ne connais pas de film plus désorientant que celui-là ni qui atteigne par des moyens si savants à la toute simple mais fuyante vérité des âmes. Si l'on me demandait ce que Cocteau a écrit de plus beau, moi qui admire *Le Potomak*, *Thomas l'Imposteur*, *Le Secret professionnel*, *Plain-Chant*, *Orphée*, je répondrais peut-être que c'est cet autre *Orphée* qui n'a gardé du premier que ses mots de passe : le film. Et que cette œuvre ait été écrite sur l'eau lumineuse mais entre toutes fuyante et fragile de la pellicule, ajoute encore au sentiment de dépaysement qu'elle nous procure.

*
* *

Ce n'est pas à Jean-Pierre Melville que j'en ai. Sa mise en scène, bien qu'un peu prétentieuse et trop souvent gratuite en sa recherche de l'effet, marque dans *Les Enfants terribles* un progrès sur la platitude du *Silence de la mer*. Ce n'est point non plus aux interprètes : le noble et pur petit visage fermé de Nicole Stéphane, et ce que sa pudique réserve laisse échapper de fusante flamme intérieure, sont exactement ceux de l'énigmatique Élisabeth. Et que Renée Cosima prête à Dargelos sa figure sensuelle et son corps rond de femme, va dans le sens de l'essentielle équivoque du roman.

Jean Cocteau n'est pas davantage en cause. Je viens de m'assurer, en le relisant une fois de plus, que *Les Enfants terribles* restent un admirable poème romanesque. Rien n'y a vieilli de ce qui apparaît si cruellement démodé dans le film. Or il advient ceci d'inattendu : que non seulement les images qui illustrent avec honnêteté le texte original se présentent sous une forme inacceptablement littéraire et fabriquée, mais encore que ce texte lui-même participe de la même insidieuse adultération bien qu'il soit fidèlement reproduit par la voix de Jean Cocteau. Trop fidèlement. Ou bien les mots font double emploi avec la photo qui, en même temps qu'elle les alourdit, abolit cette marge de rêve nécessaire à la poésie et qui naît d'un imperceptible décalage entre le signifiant et le signifié. Ou bien le texte tient purement et simplement la place des images absentes que le metteur en scène s'est avoué impuissant à rendre.

Premier cas, celui où l'image colle au texte (nous voyons la fumée de la locomotive et entendons son sifflement nocturne), mais sans rien y ajouter qu'une impression d'emphase qui n'existait pas dans le roman : « ... Et cette petite fille qui roule en express pour la première fois, au lieu d'écouter le tam-tam des machines, dévore le visage de son frère, sous les cris de folle, la chevelure de folle, l'émouvante chevelure de cris flottant par instants sur le sommeil des voyageurs... » Deuxième cas, celui où le texte n'est qu'un bouche-trou. Le rythme du spectacle n'étant pas celui de la lecture, les mots, si merveilleusement expressifs dans le roman, deviennent incompréhensibles, sauf pour ceux qui, fermant les yeux, renoncent au film pour se reporter par la pensée au roman (mais alors, à quoi bon le film ?) : « ... Il s'arrêtait, contournait, reniflait, incapable d'assimiler une chambre à la cité Monthiers, un silence nocturne à la neige, mais y retrouvant profondément le déjà vu d'une vie antérieure... »

L'erreur des *Enfants terribles* a-t-elle été de vouloir transposer en un autre langage une œuvre qui avait atteint sa perfection sous sa forme première ? En faisant d'*Orphée* un film, Cocteau renonça de toutes façons à la pièce qui portait le même titre et dont il aurait seul eu pourtant la possibilité sinon le droit de faire lui-même un film satisfaisant. C'est une création nouvelle qu'il nous propose. Certes, quelques bribes du dialogue théâtral ont été reprises, quelques thèmes, aussi, de la mise en scène originale. Mais ils se rattachent moins à tel texte précis qu'à la mythologie personnelle de l'auteur. Les glaces que l'on traverse appartiennent aussi bien au *Sang d'un poète*.

Avec *Les Enfants terribles*, Jean-Pierre Melville a voulu, au contraire, que ses enluminures respectent, dans toute la mesure du possible, le mot-à-mot du roman. Je comprends bien pourquoi Cocteau ne l'a pas dissuadé de suivre cette méthode. Il dut estimer que, puisqu'il n'assumait pas lui-même la mise en scène, l'humilité du calque proposé réduirait au minimum les chances de trahison. Au roman, qui alliait un style flamboyant à une rigueur classique, s'est substitué un film grandiloquent où l'image dénature à mesure le mythe. Au lieu d'accepter les règles du jeu, et de marcher d'enthousiasme à la suite du poète, nous nous guindons dans un refus proche de l'agacement. Si l'*aura* qui entoure le visage de Nicole Stéphane nous rend Élisabeth supportable, il nous devient impossible de considérer Paul avec admiration, comme le voudrait Cocteau, et même avec un minimum de sympathie. Nous avons envie d'ouvrir les fenêtres, de passer l'aspirateur, de sortir de son lit ce fainéant, et de l'envoyer se baigner.

## II

## ANDRÉ MALRAUX

On dit que les peintres trouvent intéressantes les considérations d'André Malraux sur l'art, mais qu'elles leur paraissent difficilement recouper leur propre expérience. Aussi bien, l'auteur des *Voix du silence* a-t-il beau intituler un de ses volumes *La Création artistique*, il ne saurait étudier cette création qu'*a posteriori*. C'est l'œuvre en train de se faire et considérée de l'intérieur qui intéresse le peintre, alors que Malraux n'en peut avoir qu'aux œuvres achevées, considérées par lui du dehors et liées à la culture et à la civilisation dont elles témoignent. Les interrogeant, avec l'intelligence aiguë et foisonnante que l'on sait, il croit parler peinture mais nous entretient en réalité, et fort heureusement, de tout autre chose : d'esthétique (un peu), de psychologie (à la rigueur), d'éthique (beaucoup plus), de métaphysique (surtout). Les objections des professionnels tombent donc toujours à côté sans que la valeur de l'œuvre en soit jamais atteinte.

*Saturne*, admirable essai sur Goya, se réfère assez souvent au cinéma, comme du reste les volumes de la *Psychologie de l'Art*, ce qui les fait d'autant plus ressortir à notre domaine qu'en dépit du caractère excitant pour l'esprit des idées ici et là proposées, elles ne nous satisfont jamais tout à fait. Et je crois bien en deviner la raison : si Malraux n'est pas peintre, il fut cinéaste. D'où, entre lui et nous, un malentendu semblable à celui qui l'oppose aux artistes. Les rôles sont seulement renversés, l'auteur d'*Espoir* se trouvant tout à coup dans l'autre camp : celui des créateurs, lesquels, nul ne l'ignore, ne parlent pas la même langue que les critiques.

Pour tout ce qui est l'analyse et la compréhension du langage cinématographique proprement dit, l'apport de Malraux reste irremplaçable, et nous ne sommes pas prêts d'oublier l'*Esquisse d'une psychologie du cinéma* publiée avant la guerre par *Verve* et dont *Le Musée imaginaire* reproduit l'essentiel. Le désaccord commence lorsque Malraux prend du recul non plus vis-à-vis des moyens d'un art dont *Espoir* prouva qu'il sut se les approprier du premier coup, mais vis-à-vis de sa vocation. Cette expression de la fiction dont l'auteur de la *Psychologie de l'Art* étudie de façon si convaincante la lente mais inéluctable mort dans les arts plastiques, nous reconnaissons avec lui qu'elle trouva dans le cinéma *sa résurrection luxuriante*. Mais que de cette fiction le cinéma soit *le véritable domaine*, qu'elle y trouve *son expression privilégiée*, nous n'en pouvons convenir. Les récits historiques, dramatiques, sentimentaux et autres sont les motifs, il est vrai presque exclusifs, du cinéma actuel qui, en dépit de quelques essais, est loin d'en être arrivé à sa période abstraite. Mais ce sont les moyens que trouve pour se manifester un art irréductible exprimant quant à l'essentiel tout autre chose que le spectacle représenté, et n'étant une fin que pour le mauvais cinéma comme ils le furent pour la mauvaise peinture. De même qu'il y a cent Detaille pour un Uccello, cela ne change rien à la nature de cet art encore tâtonnant dont nous pressentons ce qu'il a à dire s'il ne sait pas toujours l'exprimer. Expression qui, comme pour les autres arts, non seulement ne perd jamais contact avec la réalité, mais essaye d'en donner une image plus vraie, étant entendu que la vérité des êtres et des choses, pour autant qu'elle existe, n'a qu'un rapport lointain avec ce que la vision habituelle nous en révèle. Si « la représentation précise d'un spectacle n'est pas le moyen le plus efficace d'en exprimer la signification », c'est que la précision utilitaire de notre regard est la fausseté même.

Après une analyse du *Préau des fous*, de Goya, Malraux écrit dans *Saturne* ceci, à quoi nous ne pouvons non plus, et pour les mêmes raisons, tout à fait souscrire : « Précisons encore et supposons qu'un cinéaste doive tourner cette scène. Avant même de placer ses personnages, il saura qu'il ne peut tenter de rejoindre le génie de Goya que par son éclairage : non en donnant aux formes qu'il va photographier le plus de réalité possible, mais en les soumettant au tragique de l'ombre. Et le trait brisé qui donne à chacune des figures du tableau sa qualité, est ce par quoi Goya les accorde toutes à son domaine dramatique de lumière et d'ombres *imaginaires*, à un monde plastique devenu l'expression de la folie, non sa représentation. » Imaginaires, les clairs-obscurs d'un préau d'asile ? Êtes-vous si sûr ? Et ne croyez-vous pas qu'expression et représentation coïncident ici — surtout au cinéma, art par excellence de la sobriété? De toutes façons, l'emploi dramatique de la lumière tel que le propose ici André Malraux, je crains qu'il ne risque d'être le fait du mauvais cinéma. Ce n'est heureusement pas en théoricien de l'art, mais en grand artiste inspiré, que cet auteur écrivit dans l'espace les séquences révélatrices d'*Espoir*, où ce que la surréalité des images nous découvrait encore de plus saisissant, c'était la réalité.

*
* *

C'est à Barcelone, entre le mois d'avril 1938 et le début de l'hiver de la même année, qu'André Malraux, assisté par Denis Marion pour le scénario, réalisa *Espoir*. Le sort des armes républicaines en ayant interrompu les prises de vues (le soir où furent enregistrés les derniers plans les feux de Franco s'allumaient aux portes de la ville), le film que nous pouvons admirer, qui correspond à peine à la moitié du scénario, donne une idée approximative de ce qu'il aurait été si les circonstances avaient permis de le terminer. Malraux a dit un jour d'*Espoir* qu'il avait déjà l'accent et la faiblesse des vestiges. A vrai dire les faiblesses nous sont peu sensibles. Il est souvent arrivé, dans l'histoire de l'art, que les fragments d'une œuvre détruite ou inachevée donnent une telle idée de beauté que l'on s'aperçoit à peine de la mutilation. Et notamment dans celle de l'art cinématographique, comme le prouvèrent, avant *Espoir*, *Tonnerre sur le Mexique*, d'Eisenstein, ou les copies tronquées qui nous furent présentées de l'*Intolérance* de Griffith ou des *Rapaces* de Stroheim.

Ce n'est pas la première fois non plus que la pauvreté des moyens dont disposait un créateur a servi son génie plus qu'elle ne lui a nui. L'art s'est toujours bien trouvé des gênes matérielles. Nul ne sait ce qu'aurait fait Malraux s'il avait pu utiliser des studios équipés de façon moderne, si de continuelles coupures d'électricité, d'incessantes alertes n'avaient entravé son travail. Mais il est permis de penser que son film aurait témoigné de façon beaucoup moins vivante, pour l'Espagne républicaine en lutte, s'il n'avait été tourné sur place, au moment même où se déroulait cette guerre qu'il peignait sur l'écran avec la collaboration d'hommes qui en éprouvaient à mesure les dangers et les exaltations.

Une des scènes les plus émouvantes nous montre un avion rentrant à sa base, un avion ami. Et, du sol, les camarades le voient arriver avec soulagement. Or, Malraux lui-même me raconta combien il eut du mal à obtenir de ses interprètes cette expression de joie fraternelle. Car, au moment où cette séquence fut tournée, non pas un, mais des avions arrivaient au-dessus du terrain républicain. Ce n'étaient pas des appareils amis, mais une escadrille de bombardiers allemands, quarante Junkers (Malraux les a comptés). L'on comprend dès lors que la mimique naturelle des acteurs ait été celle de la tension et de la colère...

Peu de rapport entre le texte écrit par Malraux pour le cinéma et le roman qui porte presque le même titre, L'Espoir. Comme l'a drôlement écrit Malraux, en matière d'adaptation, être l'auteur, c'est tout de même être privilégié ! La question de la transcription se trouve ici tranchée de la meilleure façon concevable, l'auteur étant le même en l'un et l'autre cas, comme avec Les Parents terribles. Un auteur qui a seul droit à ce nom, en ce qui concerne le film aussi bien que le roman (ou la pièce), ce qui est désormais rare à l'écran (si telle était la règle aux temps héroïques du cinéma). Malraux n'a pas essayé de traduire pour la caméra son roman en en suivant le mot-à-mot, ni même la suite des idées, car on sait que L'Espoir est avant tout un roman d'idées. Il a certes réutilisé certains personnages, comme celui de Magnin ; il a certes repris certaines scènes, par exemple celle, si belle à l'écran comme dans le livre, du paysan qui ne reconnaît plus son champ depuis l'avion où il a pris place pour guider les bombardiers. Mais ce sont là des exceptions : à un roman touffu, complexe, rempli de conversations d'ordre politique, philosophique, moral ou métaphysique, il a substitué un film racontant une action simple, presque linéaire, limitée dans le temps et l'espace, conçue pour le seul cinéma. Dans Espoir, ce sont les images qui parlent. Le dialogue est en espagnol, ce qui rend l'histoire plus vraisemblable encore, (la maladresse de certains comédiens accusant, comme dans Journal d'un curé de campagne, l'humanité brute des héros), mais il n'a, semble-t-il, qu'une valeur de support.

Voici *Espoir* tel que l'avait rêvé son auteur, qui m'a raconté son film sous la forme où il l'avait primitivement élaboré. Écouter Malraux parler, c'est essayer de rattraper un cheval au galop tant est rapide son débit, si foisonnantes sont les idées qui de son esprit jaillissant coulent de source. Comme un cow-boy maladroit, l'on arrive quelquefois à se mettre en selle, mais pas pour longtemps. Voici ce que j'ai cru comprendre...

Le générique, d'abord devait nous montrer l'un de ces magnifiques taureaux chers à l'Espagne et dont le beuglement, bien plus impressionnant que le rugissement du lion de la firme américaine, allait imperceptiblement se muer en un autre mugissement, celui des sirènes d'une ville en état d'alerte. Mais il était dit que, dès l'ouverture de son film, Malraux se heurterait à une de ces impossibilités de fait qui si souvent allaient, au cours de son œuvre, l'obliger à renoncer à ses plus belles idées. Des taureaux, il a beau en faire chercher partout, l'on n'en trouve nulle part : il n'y a plus de taureaux dans l'Espagne républicaine en guerre. Pourtant, une délégation anarchiste finit par lui indiquer un village où il en existe un. Il y court, plein d'espoir, et trouve un petit veau de quelques semaines.

Dans Teruel, un des comités républicains clandestins détermine les objectifs de ses ressortissants : pour les paysans qui connaissent les champs d'aviation franquistes, passer les lignes et prévenir les Gouvernementaux ; pour les autres, franchir les portes de la ville afin de chercher en banlieue, où elles se trouvent, de vieilles autos et de la dynamite. Cet explosif est destiné au village de Linas, attaqué par les Maures, mais où un comité local a pris le pouvoir dans la nuit. Or Linas commande le pont de Saragosse, par où arrivent les renforts ennemis. Que les Maures prennent Linas, et le pont sera gardé non plus par la police que les Républicains peuvent facilement neutraliser, mais par l'armée vis-à-vis de laquelle ils se trouvent en état d'infériorité manifeste.

L'une des plus extraordinaires séquences, qui aurait eu sa place dès les premières images, n'a été tournée que fragmentairement et avec les seuls pauvres moyens dont l'auteur disposait. (Pour figurer les chars ennemis, il fallait des chars amis : or, la première partie du film achevée, il ne restait

plus de chars amis !) Les blindés maures avancent donc
vers Linas en chassant devant eux les troupeaux des montagnes, terrifiés par le bruit des armes à feu. Leur proche
piétinement ébranle déjà les maisons aveugles. Des portraits
se décrochent aux murs ; l'eau s'agite dans la carafe sur la
table du comité dont les membres discutent le moyen
d'arrêter cette marée animale et, surtout, les Maures qui
la suivent. Les fusils de chasse, seules armes dont ils dispo-
sent, il n'y faut pas songer. Dans les sonnailles de leurs
clarines, les bêtes approchent. Les cloches ! On peut les
remplir de dynamite... Cependant, les habitants commencent,
dans le grondement des troupeaux qui arrivent, à construire
une barricade.

On aurait enchaîné alors sur Teruel, où quelques Gouvernementaux essayent d'atteindre les remparts. Ce passage a
été tourné où l'on voit ces hommes tomber les uns après les
autres sous les balles des francs-tireurs fascistes cachés dans
leurs maisons, tandis que passent au bout des rues les moto-
risés ennemis. La suite de cette séquence a été également
réalisée, celle, poignante, de l'auto lancée à toute vitesse
sur le canon qui garde la porte de la ville, avec, le couron-
nant d'une pure image de poète : aussitôt après le choc,
un vol de pigeons blancs éparpillés. La dynamite peut donc
arriver à Linas. Nous participons aussi à cette scène, émouvante dans sa sobriété, où l'on assiste au choix des usten-
siles ménagers qui serviront à faire des bombes. Mais ce
que nous ne voyons pas, ce sont les images qu'avait ensuite
conçues Malraux. Un char d'assaut a été envoyé pour ap-
puyer l'avant-garde maure. Alors les paysans transportent
dans une carriole, sur un éperon rocheux qui domine le passage, la grosse cloche de l'église, bourrée de dynamite, et
la lancent sur le tank. Aucun effet. Mais un homme réussit
à faire sauter le char à l'aide d'un certain nombre de clarines
réunies en chapelet avec le fil de fer qui clôturait la demeure
seigneuriale. Les arbres s'écroulent devant la caméra, et
sur l'écran, entièrement occupé par les feuillages, tourne
entre les branches l'une des roues du tank, tourne de plus
en plus lentement et s'arrête.

C'est alors que prend place la suite des scènes qui exis-
tent : celle du départ nocturne des avions républicains
chargés d'une mission de bombardement ; celle de la mission
elle-même. Le piqué sur Teruel fut primitivement tourné
au cours d'un vrai combat, ou plus exactement, car l'appa-

reil n'était armé que de sa caméra, l'avion était-il effectivement sous le feu de la D. C. A., puis poursuivi par la chasse.
Mais ces précieuses vues furent détruites par suite d'un mauvais tirage (Les conditions de travail étaient telles que
pas une seule bobine ne put être développée sur place : grâce
à Edouard Corniglion-Molinier et à la complicité de certains
pilotes de ligne, chaque fragment de négatif partait pour
Paris et en revenait à mesure du tournage).

Nul n'a oublié les dernières séquences : l'un des avions
gouvernementaux a été descendu et les corps des blessés et
des morts sont ramenés à bras d'hommes de la montagne,
accompagnés par toute la population d'un village voisin en
un long cortège qui fournit l'occasion d'une des plus puis-
santes suites d'images que nous ayons vues au cinéma
depuis *Le Cuirassé Potemkine*. Or Malraux nous rappelle
précisément, dans *La Création artistique*, qu'Eisenstein
utilisa ce même mouvement, mais horizontal et sur deux
plans, dans la scène du pont de son *Potemkine*, alors que
lui, Malraux, l'employa dans le sens de la descente. Quel
mouvement ? Celui, « ascendant commencé de gauche à
droite et continué de droite à gauche », dont Le Tintoret
découvrit la puissance suggestive dans sa *Montée au cal-
vaire*. Pour ces scènes, il fut fait appel à une brigade d'infan-
terie. Ce sont ces soldats que montrent les plans d'ensemble,
mais de vrais paysans ont joué pour les vues rapprochées.
Les toutes dernières images, telles que les avait voulues
Malraux, n'ont pas été tournées : on y aurait vu la troupe
prendre en charge les blessés des mains des paysans. Le film
se serait achevé sur le casque d'un soldat, vu de dos, d'un
soldat qui repartait pour le front : l'Espoir.

La réussite de cette œuvre mutilée est due en partie au
montage qui a permis d'utiliser au mieux les éléments dont
on disposait, le scénario étant modifié pour s'y adapter.
Mais elle vient surtout du style directement personnel de
chacune des séquences. Rien ici qui sonne faux ou qui ne
soit humain. Le moindre détail de la moindre image a été
aussi spécialement choisi et voulu que le moindre mot dans
la moindre des pages du roman. Non que notre auteur
s'attarde plus sur les images que sur les mots : on a prétendu
qu'il écrivait mal pour cela seulement qu'il s'attachait à dire
le plus simplement possible ce qu'il avait à exprimer, sans
s'embarrasser d'inutiles soucis de forme entre ses envolées

*L'Espoir*. [Cl. Cahiers du Cinéma.]

lyriques. Ainsi de son film, où il n'y a point trace de pure virtuosité ou de l'effet pour l'effet. Si *Espoir* présente une telle valeur à nos yeux, c'est que notre intelligence y est autant intéressée que notre sensibilité. Malraux y a conduit le combat sur deux fronts : d'une part celui de l'homme et de la lutte millénaire qu'il mène pour sa libération ; de l'autre, celui d'un artiste qui, pour dire ce qui lui tient à cœur, socialement mais aussi personnellement, conquiert ses moyens d'expression sur tous les artistes qui l'ont précédé. L'utilisation du son en contrepoint indifférent d'une action dramatique intense ; le recours à certaines formes originales d'ellipses ou de métaphores ; le passage au dialogue selon un procédé directement emprunté au roman : autant de moyens mis, parmi beaucoup d'autres, au service d'une fin éminemment complexe. Exemple simple qui suffit à montrer que si c'est toujours un faux problème que celui de la prétendue opposition de la forme et du fond, cette différenciation est particulièrement artificielle en matière cinématographique.

Chez l'un des anciens camarades de combat d'André Malraux en Espagne, Julien Segnaire, j'eus la surprise de trouver dans un album des photographies d'amateur, où s'inscrivaient *à leur origine* certaines des scènes les plus émouvantes du film. Quelques-uns de ces clichés ont été reproduits depuis dans *Malraux par lui-même*. C'est ainsi, par exemple, qu'on voyait le Colonel Malraux en civil, son grade reconnaissable à la seule casquette galonnée, monté sur un mulet, allant dans la montagne au-devant du cortège de ses compagnons accidentés, ou encore les paysans rangés le long du chemin et saluant, le poing levé, les aviateurs morts ou blessés. Et, bien sûr, ces images telles qu'elles furent prises sur le vif semblent pauvres à côté de celles que Malraux recréa, en s'en inspirant. Mais, à défaut d'art, l'âme est déjà là et c'est par cette vérité directement captée à ses sources réelles que le film atteint sa beauté. A l'époque où fut réalisé *Espoir*, on n'avait jamais vu, à l'écran, l'intérieur d'un bombardier en action ; et la présence dans un film de combattants sans uniformes apparaissait comme une gênante audace... Depuis lors la vie quotidienne, puis le cinéma, nous ont familiarisés avec de telles images. Mais si *Espoir* reste d'une telle actualité, près de vingt ans après avoir été réalisé (années où, en fait d'horreurs et de grandeur guerrières, nous avons pourtant été comblés !), c'est surtout qu'il était en prise directe avec cette actualité éternelle : celle de l'homme.

# III

## JEAN-PAUL SARTRE

### 1. *Les Jeux sont faits.*

La preuve que le cinéma est un art inférieur, nous assure-t-on parfois, c'est que ses œuvres, loin de bénéficier de la consécration du temps, sont au contraire immanquablement détruites par lui. Faites d'une matière fragile, tributaires de l'époque où elles ont été tournées au point de se démoder en peu d'années, celles-là mêmes qui nous avaient semblé admirables n'offrent bientôt plus aux regards, sur la trame usée de la pellicule, qu'une gesticulation dont seule la fidélité que nous devons à nos émotions passées, nous empêche de sourire. Voir, ou plutôt revoir, *La Charrette fantôme* (1920), de Victor Sjôstrôm, que nos enfants ne se gêneront sans doute plus pour trouver ridicule.

C'est mésestimer la valeur propre du sujet d'après lequel une œuvre cinématographique a été composée. La nouvelle *Charrette fantôme*, réalisée en 1939 par Julien Duvivier, nous a, certes, déçus, mais rien ne s'oppose à ce que dans cinq, vingt, soixante ou cent ans, le même roman de Selma Lagerlôf soit retranscrit pour l'écran et qu'avec les moyens techniques de l'époque un chef-d'œuvre digne de celui de Sjôstrôm, mais rajeuni, soit tourné.

J'y songeais en lisant — avant de voir le film qui en fut tiré par Jean Delannoy (1947) — le scénario que Jean-Paul Sartre écrivit pour *Les Jeux sont faits*. Les cinéastes de demain, s'ils veulent refaire ce film, n'auront pas à en modifier le thème. Seuls devront être changés, si les nouveaux auteurs tiennent à situer l'action de leurs jours, les détails purement

pittoresques marquant le temps où ont vécu et où ont péri
les héros de ce drame qui, pour l'essentiel, est de tous les
âges, comme l'amour, comme la mort. Comme aussi ce sens
de la fraternité virile qui se révèle dans cette nouvelle œuvre
de Sartre — et là n'est pas ce qu'elle a de moins émouvant —
plus fort que l'amour, plus fort que la mort. Seul l'avènement d'une société sans classe pourrait ôter de son actualité
au mythe qui nous est proposé, ce qui est, hélas ! assez
dire qu'il ne sera pas de sitôt périmé.

Dans une même ville (à dessein non située dans l'espace),
le même jour (que l'on pourrait placer à n'importe quelle
date de l'Histoire), un homme et une femme sont morts :
un ouvrier qui mettait à ce moment au point le proche
déclenchement d'une insurrection ; une femme belle et
riche, indifférente à tout problème politique, bien qu'elle
soit bénéficiaire, sans le savoir, du régime policier qui op-
prime la nation. Dans cet immatériel au-delà, renouvelé de
*Huis clos*, mais plus aéré, que Sartre a imaginé cette fois,
ils se rencontrent et ils s'aiment. Qu'ils aient été de toute
éternité destinés l'un à l'autre est si flagrant que seule une
erreur administrative peut expliquer pourquoi ils ne se sont
pas connus de leur vivant. Aussi bien, le cas a-t-il été prévu
par les règlements du royaume des morts : nos héros ont
vingt-quatre heures pour se retrouver sur la terre et mériter
la longue vie de bonheur à laquelle ils peuvent prétendre
s'ils savent tout subordonner à leur unique et irremplaçable
amour.

Mais — détail cruel dans sa vérité — on commence par
faire prendre l'escalier de service au jeune homme ressuscité
venu chercher la jeune femme chez elle. Devant ses brillants
amis, elle ne peut s'empêcher d'avoir honte des manières
de son compagnon que gênent tant de richesses et des pré-
jugés d'un autre ordre. Si elle trouve la force dans sa passion
de sacrifier une existence luxueuse, il lui est moins facile
de lâcher ses camarades de combat, l'amour de la liberté
étant plus puissant encore à ses yeux que celui qu'il voue à
cette femme adorée. Aussi abandonne-t-il, le temps de participer à l'insurrection, sa bien-aimée qui en profite pour re-
prendre parmi les siens, là où elle l'avait laissée, sa propre
aventure terrestre. Le délai ayant expiré avant qu'ils aient
pu vaincre leur fatalité et se rejoindre, ils retournent dans
le domaine des morts, condamnés pour l'éternité à se voir
sans se toucher et à s'aimer sans s'étreindre.

Jean-Paul Sartre ayant engagé la philosophie dans le siècle, met au service de sa prédication tous les moyens artistiques de son époque. En venant au studio, il songeait moins à travailler pour le cinéma qu'à faire travailler le cinéma pour lui. Sûr de la polyvalence de ses dons, il se proposa donc pour aider les techniciens de la caméra à réaliser ce nouveau manifeste de ses théories ontologiques et sociales. Au vrai, Sartre est moins un inventeur qu'un penseur, comme en témoignent ses romans qui illustrent artificiellement, et parfois même avec banalité, des idées neuves et belles. Utilisant le cinéma, il a conservé la sécheresse d'une imagination puissante quant au squelette idéologique mais linéaire pour ce qui est de son incarnation. Sous leur mince déguisement de chair, les idées préexistantes demeurent plus vivantes que les personnages qui émanent d'elles bien davantage qu'ils ne les expriment. Or le cinéma, plus encore que le roman, ne nous convainc que s'il nous enrichit par l'image, celle-ci étant chargée de signification sans que soit apparente la volonté d'emporter notre adhésion.

Il est évident qu'en cette première approche, Jean-Paul Sartre a considéré la caméra avec respect, ce qui est en somme naturel pour un professeur de philosophie. C'est dire qu'il ne cherche point à l'utiliser avec la royale liberté d'un André Malraux ou d'un Jean Cocteau. Puisqu'il se révélait incapable de s'en saisir, à l'exemple de ces amateurs de génie, comme d'un instrument dont les possibilités sont encore si peu connues qu'il est permis de négliger les règles du métier, il lui restait de confier son scénario à un technicien. En dépit de l'originalité des thèmes, la transcription cinématographique des *Jeux sont faits* était d'autant plus difficile que l'on pouvait plus aisément tomber dans le déjà vu, l'au-delà ayant été à de nombreuses reprises évoqué sur l'écran. Jean Delannoy avait fait montre, avec *L'Éternel Retour* (1943), des qualités indispensables à une telle réalisation, mais c'était en présence de Cocteau, précisément, dont l'imagination créatrice ou transformatrice couvre d'étincelles ce qu'elle touche, alors même que ces gerbes de feu proviennent parfois d'un autre brasier. En dehors de ce film, Jean Delannoy s'était surtout signalé à notre attention par un style glacé qui convenait lorsqu'il s'agissait d'adapter pour le cinéma une œuvre telle que *La Symphonie pastorale* (1946). Mais alors que le récit de Gide exigeait cette froideur pour n'être point trahi, le scénario de Sartre nécessitait au contraire mouvement, couleur et relief. Le film se devait d'être d'autant plus vivant qu'il se déroulait dans le domaine des morts. Et d'autant plus charnel que ses thèmes étaient plus intellectuels. Or, dans *Les Jeux sont faits*, tout se passe sur l'écran et rien que sur l'écran, sans communication aucune avec les spectateurs qui ne participent au drame qu'en de rares minutes, du reste émouvantes (principalement dans les séquences finales), mais c'est alors le texte qui parle, non les images (à l'exception des toutes dernières, qui sont admirables). Jean Delannoy a échoué dans la mesure où il n'a pas su nous rendre l'invraisemblable vraisemblable. Dans celle aussi où il a fait de ce passionnant scénario un film intéressant, certes, mais auquel il nous arrive de nous ennuyer.


## 2. *Les Mains sales*


Si les pièces de Jean-Paul Sartre apparaissent supérieures à ses romans, ce n'est point qu'elles soient mieux faites, mais seulement que des acteurs de chair, de sang et d'âme donnent sur la scène aux personnages l'épaisseur humaine qui leur manquait. Recourons-nous directement au texte, les héros se désincarnent et deviennent, comme ceux des romans du même auteur, des idées et des raisonnements personnifiés.

On aurait pu croire que le cinéma, dans la mesure où il est le reflet de la vie, animerait ces entités plus efficacement encore que le théâtre. Après *Les Jeux sont faits*, *Les Mains sales* (1951) nous ont détrompés. Il n'est point étonnant que Fernand Rivers n'ait pas réussi là où Jean Delannoy lui-même avait échoué. Le film qu'il a tiré des *Mains sales* est sans emphase et, s'il nous touche, ce n'est jamais par des moyens grossiers ou faciles. Il se trouve pourtant qu'en dépit de cette honnêteté et d'une interprétation aussi bonne que celle de la création (Pierre Brasseur, dans un tout autre registre, vaut André Luguet), l'œuvre n'a pas, à l'écran, le poids qu'elle possédait à la scène. Bien plus : le film contamine rétrospectivement l'admiration que nous portions à la pièce. Ce que vérifie la lecture, à laquelle nous faisons appel aussitôt comme à une épreuve qui ne trompe pas.

C'est que le cinéma, s'il a ses mensonges propres, ne s'accommode pas de ceux des autres arts. Étant à l'image exacte de la vie, il révèle ce que l'on voulait nous faire prendre de façon abusive pour elle. Dans *Les Mains sales*, l'écran accuse des invraisemblances que les conventions du genre faisaient passer à la scène. Au théâtre, il y a une symbolique millénaire des gestes et des situations. Par exemple, la fouille à laquelle est soumis un suspect est *signe* : c'est la fouille par excellence, la fouille absolue qui est donc dispensée de se répéter. Mais il nous apparaît peu croyable dans le film qu'un chef de parti aussi menacé que Hœderer soit à ce point mal défendu. Dans la vie (et le cinéma c'est la vie), Hugo aurait été fouillé dès la grille du jardin. Ce n'est pas une fois seulement qu'auraient été visités ses bagages et sa chambre. Il ne nous étonne pas à la scène, mais nous trouvons inadmissible, à l'écran, de le voir, sous la surveillance continuelle des gardes du corps de Hœderer, se promener jour après jour avec un revolver en poche (lorsqu'il ne l'abandonne pas dans un tiroir ou ne laisse sa femme s'en amuser). Et cela simplement parce que l'auteur, qui avait besoin de l'arme sans pouvoir tout à fait se dispenser de la fouille, s'est débarrassé une fois pour toutes de cette formalité.

Les impératifs du langage cinématographique (qui n'est langage articulé que partiellement) ont obligé de surcroît les adaptateurs à couper largement dans le dialogue. Des yeux de Jessica, sa femme, Hugo dit : « Ce sont deux pavillons de soie, deux jardins andalous, deux poissons de lune. » A l'écran, la phrase tombe. Et c'est tant mieux. Mais Sartre, s'il est un faux poète, est un vrai philosophe. La matière grise tient lieu, chez ses personnages, du sang qui manque. Le film ne les laisse plus s'expliquer (bien qu'ils parlent beaucoup trop encore pour un film). Et le cinéaste n'a pas assez de génie pour remplacer par des images les mots qui manquent. Dans le passage de la scène à l'écran, Hugo perd sa complexité. Il est vidé d'une partie de sa pensée sans recevoir, en échange, un flux de sang frais. On fait un contresens en ne voyant dans *Les Mains sales* qu'une pièce à thèse *politique*. C'est aussi une pièce à thèse *philosophique*. L'irréalité du monde extérieur, la nature ambiguë de n'importe quelle action humaine, la part de *jeu* qui est mêlée à nos choix les plus sérieux sont, dans *Les Mains sales*, des thèmes aussi importants que ceux de la fin et des moyens

en politique, ou des fluctuations de la stratégie et de la tacti-
que communistes. Cet appauvrissement du personnage nous
est d'autant plus sensible que le Hugo de l'écran ressemble
beaucoup plus au héros imaginé par Sartre que celui de la
scène : il fallait toute l'intelligence et tout le talent de François Périer pour le rendre vraisemblable, alors que Daniel
Gélin n'avait qu'à paraître, semblait-il, pour nous convaincre.

Si l'on a dû couper dans le dialogue, on a cru parfois utile
d'y ajouter. Ces additions sont malheureuses dans la mesure
où elles appuient, sans doute à l'usage du grand public,
sur des situations qui étaient d'autant plus émouvantes
qu'elles étaient plus discrètement indiquées. Par exemple,
au moment où Hugo risque d'être abattu par ses anciens
camarades, qui voient en lui un traître ou tout au moins un
militant « non récupérable », c'était dans la pièce ce dialogue
discret :

« — Ils te cherchent.
— Ah ! tu leur as dit que j'étais ici ?
— Oui.
— Bon. »

Le film ajoute des phrases d'indignation du genre : « Toi,
Olga, tu as fait cela ! », qui sonnent faux. Mais plus gênantes
encore sont les scènes conçues par Sartre pour l'écran,
notamment celle qui nous montre Hugo dans sa famille
bourgeoise avant son adhésion au parti communiste. D'où
je conclus que ce film, s'il n'est pas aussi mauvais qu'on
aurait pu le craindre, est le contraire d'une bonne adaptation cinématographique.

### 3. *La Putain respectueuse.*

*La Putain respectueuse* (1952) remet en question un jugement que nous tenions pour assuré : à savoir que le cinéma
ne doit pas plus tricher que le vin avec les appellations
d'origine. Cette ville du Sud des États-Unis, recréée avec
d'assez pauvres moyens dans un studio de Boulogne-Billan-
court, paraîtra sans doute d'une invraisemblance risible
à un Américain. Au Français qui, comme moi, ne connaît
l'Amérique que par le cinéma, elle se révèle suffisamment
convaincante. Les inexactitudes qui dénonceraient l'impos-

*La Putain respectueuse.* [Cf. Radio-Cinéma.]

ture à des yeux plus avertis, nous demeurent invisibles. La coïncidence est au contraire presque parfaite entre ce que nous imaginions des États-Unis et les aspects qui nous en sont proposés. Marcel Pagliero et Charles Brabant ont choisi avec un sens aigu du décor et de l'atmosphère, tout ce qui, pour un Européen occidental, représentait l'Amérique, mieux signifiée ici par quelques détails intelligemment isolés que par de minutieuses et complexes reconstitutions.

Donc, rien de ce qui est *spectaculaire* ne nous gêne dans cette Amérique fabriquée. L'élan étant donné par l'accumulation des détails vrais (ou qui nous semblent tels parce que nous ignorons le détail du détail, qui, lui, est faux), nous ne songeons pas à nous étonner d'un décor soudain fort de chez nous, celui de la villa du sénateur. Il n'est pas jusqu'au plus français des argots qui ne nous apparaisse superbement yankee. Oubliant la substitution, nous nous étonnons de si bien comprendre dans ses moindres nuances, sans sous-titre ni doublage, un film américain. Étonnement qui nous réveille, nous qui sommes, par profession, obligés d'être lucides. Mais le spectateur s'abandonne de confiance. Telle la voisine que m'avait donnée le hasard, et qui, la lumière revenue, s'écria naïvement :

— On ne les connaît pas comme ça en France !

Comme si tous les Américains étaient racistes et tous les racistes américains criminels de fait. Là est l'imposture vraie de *La Putain respectueuse*. Le film, non la pièce : car la convention du théâtre le frappe de nos jours d'innocuité. Tandis que, dans un film bien fait, tout est en apparence vérité, même le mensonge. Il y aurait une étude à faire sur la mauvaise foi au second degré de cet homme de bonne foi qu'est Sartre. Sur la permanente (sûrement involontaire) malhonnêteté de cet honnête homme. Et sur la dureté, la cruauté souvent injustifiées de ce cœur, dans la vie courante, profondément généreux. Ici les circonstances atténuantes sont, il est vrai, nombreuses : car ce n'est pas la faute de l'auteur si sa pièce (qu'on ne pouvait qu'approuver) ayant eu du succès, on en a fait un film moins défendable. Il lui aurait fallu une conscience peut-être excessive pour se refuser à l'adaptation, sous prétexte que ce qui est vérité au théâtre devient mensonge au cinéma.

Il n'en reste pas moins que cette dénonciation du racisme américain par des Français manque de justice, de mesure et de tact. Qu'il ne fallait aucun courage pour la proférer sur ce ton et de cette manière, mais au contraire une sorte de complaisance suspecte. Qu'un film à thèse perd sa raison d'être lorsqu'il s'adresse à un public qui n'est pas en mesure d'aider au triomphe de la thèse, les crimes dénoncés ne le concernant pas directement. Si c'est l'humanité qui est par eux atteinte, il appartient aux hommes les plus compromis de réagir. Ici aux Américains, qui n'ont du reste pas attendu Jean-Paul Sartre et Pagliero pour réaliser d'intéressants films-réquisitoires contre le racisme de certains des leurs.

#### 4. *Les Orgueilleux.*

*Les Orgueilleux* (1953) est l'un des meilleurs films d'Yves Allégret. Il en a parfois fait de discutables. Celui-ci n'est

pas aussi bon que ses nombreuses qualités le donneraient
à croire. Mais l'habileté technique et les dons de l'auteur
nous y font plus facilement illusion du fait d'un dépaysement auquel nous sommes sensibles. Le prestige du Mexique
n'a pas fini de nous exalter. Il apparaît cependant moins
pittoresque et peut-être plus vrai sous le regard consciencieux
de ce voyageur arrêté dans un petit port inconnu.

Michèle Morgan n'a jamais été aussi détendue devant la
caméra. Dénouée, décontractée, toute proche : de mythe
redevenue femme, elle nous émeut comme jamais peut-être,
en dépit de déshabillages qui sont peu dans son style. Gérard
Philipe mène le jeu avec sa virtuosité habituelle. Il en fait,
semble-t-il, un peu plus qu'il ne serait souhaitable : mais il y
a de la comédie dans son personnage : ce rien de trop en son
jeu est probablement une finesse de surcroît. Leur première
scène d'amour, muette et toute charnelle, est d'une certaine
beauté. J'aime aussi que l'on ne sache rien de leur passé,
ou si peu. C'est la force d'un scénario plutôt faible.

Jean Aurenche, auteur du texte, nous prouve une fois
de plus son talent, mais perd un peu de son pouvoir à être
séparé de Pierre Bost. Il a, comme toujours, introduit un
crucifix dans l'action, sans oser pourtant cette fois en faire
une occasion de profanation. Les Mexicains sont probablement plus chatouilleux que les Français sur ce point,
et c'est tant mieux.

Il manque Pierre Bost à cette histoire, mais il manque
surtout Jean-Paul Sartre. Son nom ne figure pas au générique, bien qu'un scénario de lui intitulé *Typhus* et situé
primitivement en Chine, soit à l'origine des *Orgueilleux*.
Il n'est pas besoin de connaître ce texte pour comprendre
que son auteur ne pouvait en aucune façon reconnaître ce
bâtard. Nous avons, au début du film, une belle tête de
cochon fraîchement coupée et saignante. Ce détail, légèrement répugnant, porte encore la signature de celui qui
probablement l'inventa en contrepoint d'une aventure
qui, dans son esprit, ne devait être sordide qu'en apparence.

Sartre ne ramasse l'homme dans la boue que pour mieux
l'élever. Sa vision du monde n'est cruelle qu'à force d'amour.
C'est par grande confiance en l'humanité qu'il est au départ
si profondément pessimiste. Il n'est jamais ignoble que pour
avoir à ses propres yeux le droit d'être noble. Les spécialistes
auxquels il incomba de mettre son scénario en forme pour

le cinéma, c'est-à-dire de le déformer, l'ont selon toute vraisemblance doublement trahi. Ils ont accusé comme à plaisir son caractère désagréable là où la peinture pouvait être poussée au noir sans que rien de grave soit mis en cause quant au métaphysique et surtout au social. Ils ont en revanche édulcoré avec soin tout ce qui risquait de toucher non plus l'épiderme mais le cœur des spectateurs. Ainsi nous présente-t-on sans le nommer un Sartre conforme à la légende déshonorante (pour eux) que lui ont faite les imbéciles. La nausée qui demeure est purement physique.

Un malade vomit en gros plan sans qu'il nous soit fait grâce d'aucun de ses hoquets ni de ce qui s'ensuit. Nous assistons à une piqûre rachidienne d'aussi près et aussi longuement que possible. Mais l'antiracisme qui était, paraît-il, la raison centrale de l'œuvre a disparu. Mais la maladie contagieuse (naguère typhus, aujourd'hui méningite cérébro-spinale), autre sujet essentiel pour Sartre (j'imagine), n'a plus dans l'action qu'un rôle secondaire.

L'Épidémie est un des thèmes de notre époque. Nous avons eu *La Peste*, de Camus, et ce choléra que Giono a fait vaincre à son *Hussard sur le toit*. Toutes les variations sont possibles autour de ce motif, des intentions morales et métaphysiques de Sartre et de Camus aux arabesques néo-stendhaliennes de Giono. Mais la contagion est toujours une hantise. Elle obsède les cœurs comme elle torture les corps. Elle est l'occasion de beaux symboles. Plus rien de cela. Un ou deux cercueils entr'aperçus ne suffisent pas à angoisser les spectateurs dont on a touché les nerfs à moindres frais. Les acteurs eux-mêmes ne s'en préoccupent qu'au minimum. Ce n'est pas la mort qui a la première place, mais l'amour. Peut-être y gagnerons-nous, après tout. Les pièces et les films à thèse de Sartre risquent de se démoder assez vite si j'en juge par la déception que me causa, six ans après sa création, *Les Jeux sont faits*.

Quoi qu'il en soit, dans cet univers à dessein *détraqué* des *Orgueilleux* où le ventilateur est cassé, où la douche ne fonctionne pas, où chaque objet est hostile, nous savons que quelque chose au moins marchera, qui est l'amour. Aussi menacés qu'ils apparaissent, nous ne sommes pas une seconde inquiets quant au sort des deux héros. La crasse du personnage incarné par Gérard Philippe et la déchéance fort voyante qu'il doit à son éthylisme ne dissimulent jamais son charme préservé ni sa santé toute proche. Michèle

*Les Orgueilleux.* [Cl. Radio-Cinéma.]

Morgan est de son côté beaucoup trop fraîche et trop jolie
pour que la vie n'ait pas le dernier mot.

Mais il ne s'agit point de la vie conquise et construite qui
aurait triomphé au terme du film de Sartre s'il avait conçu
pour lui une fin heureuse. Lorsque les jeunes gens courent
l'un vers l'autre, dans le style « allons au-devant de
la vie », nos cœurs de midinettes se gonflent d'allégresse.
Mais le bonheur de Sartre n'est pas celui des lectrices de
*Cinémonde*, et nous le lui préférons même s'il risque de dater
plus rapidement.

A y bien réfléchir, mes critiques ne visaient que le scénariste. Yves Allégret n'était pas en cause, dont le travail
est excellent. C'est qu'à de rares exceptions près (celles des
cinéastes complets), l'auteur d'un film, en l'état de stagna-
tion actuelle de la technique cinématographique, n'est peut-
être plus d'abord le metteur en scène.


### 5. *Huis clos.*


Notre chronologie est celle du cinéma. C'est pourquoi
*Huis clos*, datant, dans l'œuvre de Sartre, de la fin de l'Occu-
pation, vient ici en dernier lieu — bien après *Les Jeux sont
faits* qui en furent comme une seconde (et moins bonne)
mouture. D'une des plus belles œuvres de Jean-Paul Sartre,
qui est aussi l'une des meilleures pièces du théâtre contem-
porain, *Huis clos*, Jacqueline Audry pour la réalisation et
Pierre Laroche pour les dialogues dits additionnels, ont
donc tiré un film manqué (1954). Le texte original a été
respecté. Parfois même, ce sont les phrases qui sur la scène
émouvaient davantage, qui font rire ici un public dont l'irrespect est d'autant plus pénible qu'on ne peut l'attribuer
à son inintelligence. Impression que me firent éprouver
quelques passages de *La Condition humaine*, mis à la scène
à la même époque par Thierry Maulnier, et empruntés eux
aussi mot pour mot à Malraux. Par quelle pernicieuse chimie
le sublime peut-il se dénaturer dans le passage pourtant
littéral d'un mode d'expression à un autre ? C'est de nouveau
tout le problème de l'adaptation qui est posé.

Problème auquel Malraux sut donner une solution —
et précisément à propos de l'adaptation de *La Condition
humaine* par Thierry Maulnier. Selon lui, « le problème fonda-

mental de l'adaptation est de transmettre, avec la puissance du concret apporté par la scène ou par l'écran, et par fragments, ce que l'œuvre originale donne par son ensemble, avec les moyens plus faibles et plus riches de la fiction ». Œuvre originale supposée par lui romanesque. « Pour l'adaptation, il s'agit de remplacer dans une fiction concrète, scène ou écran, ce qui vient de la fiction sans visage. D'incarner un imaginaire, et non d'en retrouver le modèle, qui n'existe pas. »

Soit. Mais un des aspects importants de la question, et celui-là même qui nous occupe ici avec *Huis clos*, est laissé de côté. Que reste-t-il de la démonstration de Malraux lorsqu'il s'agit de l'adaptation pour le cinéma non plus d'un roman mais d'une pièce ? Qu'il s'agisse de théâtre ou de cinéma, dit justement Malraux, il n'y a qu'une difficulté dont le public est seul qualifié pour dire si elle a été ou non surmontée, « celle de la transmission du mythe par un spectacle ». Mais il y avait ici déjà un spectacle à l'origine de l'adaptation cinématographique : la pièce de Sartre, qui rendait sensible au cœur autant qu'à l'esprit un mythe dont il ne demeure plus à l'écran que la caricature. Pourquoi ?

Les adaptateurs de *Huis clos* ont voulu mettre à profit les possibilités du cinéma pour illustrer ce qui dans la pièce était seulement évoqué. Ils ont donc renoncé à cette unité de lieu qui donnait à la scène une si efficace impression d'étouffement. L'unité de temps, qui est respectée, en paraît atteinte : comme si l'éparpillement des images de l'extérieur (c'est-à-dire de la terre des vivants) telles qu'elles sont évoquées par les damnés de Sartre (grâce à un moyen du reste ingénieux), diluait la concentration temporelle. Nous voyons donc en même temps que les héros, par une fenêtre transformée en écran, ce qui se passe au moment même dans le monde des hommes : l'amie d'Inès, l'amant d'Estelle, les camarades de Garçin nous et leur apparaissent.

Or, il y a déperdition de la force expressive dans la mesure même où cette expression se fait plus forte. La principale raison en est sans doute que ce genre de mythe s'accommode d'une incarnation discrète. Ce n'est point par hasard si Jean-Paul Sartre avait voulu son unique décor aussi neutre que possible. *Un salon, style second Empire. Un bronze sur la cheminée.* C'était tout, à ce détail près, donné par le texte, qu'il s'agissait d'un bronze de Barbedienne. Cette unique précision accusait encore par sa gratuité le caractère anonyme de l'ensemble. Les trois héros étaient eux-mêmes réduits à leurs drames individuels sans aucun pittoresque, et même avec le minimum de vie, défaut habituel à Sartre (incarnateur d'idées plus que de personnages), mais qui, étant donné le sujet, devenait une qualité. Quant aux vivants dont ils parlaient, nous les évoquions comme ces personnages de roman dont Malraux assure qu'ils « ne sont pas des photographies mais de puissants ectoplasmes en quête d'incarnation provisoire », incarnation dont nous nous serions bien passé.

C'est que la réalité est dans *Huis clos* de l'ordre du raisonnement, non de celle de la sensation. Etre vrai importe plus ici que de faire vrai. La dialectique qui, lorsque nous regardions la pièce ou lorsque nous la lisions, ne nous laissait pas souffler (ce qui nous faisait éprouver jusqu'à la nausée l'impression d'angoisse voulue par l'auteur), se dénoue à l'écran en images lâches. La violence des gestes se substitue à celle des mots. Des procédés nécessités par l'optique théâtrale et qui ne gênaient point à la scène, apparaissent sans objet à l'écran où seul l'arbitraire subsiste. De même arrive-t-il que ce qui était lié à la conception et à la fabrication romanesque de *La Condition humaine* devienne inacceptable sur la scène et frappe rétroactivement le roman (d'une façon aussi injuste qu'inévitable) d'artifice.

La seule solution aurait été, ici et là, de sacrifier le mot-à-mot au nom d'une exactitude moins littérale et pourtant plus fidèle. Malraux me paraît se tromper en disant qu' « une adaptation cinématographique n'est jamais un film ». Bien au contraire, les seules adaptations cinématographiques dignes d'intérêt me semblent celles qui, contrairement à *Huis clos* et pareillement au *Diable au corps* ou à *Journal d'un curé de campagne*, sont d'abord des films et expriment des œuvres préexistantes dans un autre langage. En dépit de ses qualités, nous ne pouvions espérer de Jacqueline Audry cette transmutation. Sa mise en scène est honnête mais sans invention, sa direction des acteurs inexistante (jamais Arletty n'avait été mauvaise avant ce film !). Quant aux évocations et reconstitutions, elles sont élémentaires, ce qui ajoute encore à la gêne que nous en éprouvons : curé de revue, Mexique de music-hall, figurants caricaturaux. La fondamentale vraisemblance du cinéma révèle à coup sûr le fabriqué. Pourquoi ces conjurés, dont les affiches sont rédigées en une langue étrangère, parlent-ils français ? Et pourquoi ces chameaux au Mexique, puisque le pays suggéré n'a pas été rendu suffisamment *imaginaire* pour que nous considérions comme vraisemblables de tels rapprochements ? Nous aurions admis l'incarnation des hommes-idées de Sartre à cette seule condition d'avoir affaire à un cinéaste qui soit aussi bon plasticien qu'il est bon dialecticien.

## IV

## GRAHAM GREENE

### 1. *La Puissance et la Gloire.*

*Dieu est mort* a été tiré de *La Puissance et la Gloire,*
par John Ford qui a trouvé dans l'opérateur Figueroa un
artiste digne de lui (1947). Plastiquement, le film est beau. Il
ne nous en paraît que moins défendable. Le titre français de
*The Fugitive* est déjà un contresens : justement, Dieu n'est
pas mort dans ce Mexique où est traqué le dernier prêtre
vivant. Un mauvais prêtre, ivrogne, luxurieux et qui avait
choisi un peu par ambition et lâcheté d'être homme d'Église.
Pourchassé, le temps des persécutions étant venu, son « visage de vagabond n'inspire pas confiance » : il a l'air d' « un
type que l'on pourrait charger de n'importe quelle besogne ».
Un mauvais prêtre, mais un prêtre qu'accable, en même temps
que la honte de son indignité, le sentiment de l'inaliénable
dignité dont le sacerdoce l'a revêtu. Aussi remplit-il avec
simplicité, jusqu'au martyre inclus, sa mission, sans cesser
de demander pardon à Dieu de l'accomplir si mal.
Graham Greene nous présente, en contrepoint de cette
insolite et bouleversante hagiographie, un autre martyr,
officiel celui-là, et assuré de sa perfection, tel qu'un livre
pieux en offre aux dévots l'image édulcorée. Or ce saint de
plâtre doré, ce fade héros écœurant à force de convention,
John Ford, ou plutôt Dudley Nichols son scénariste, l'a pris
pour modèle et c'est lui qu'il nous montre sous le nom du pi-
toyable et magnifique apôtre ! Henry Fonda avait pourtant
un autre visage et Graham Greene un autre ton. Si ce grand
roman qu'est *La Puissance et la Gloire* avait été une pièce, la

*Dieu est mort.* [Cl. Cahiers du Cinéma.]

trahison du metteur en scène et du scénariste aurait été moins aisée. Non qu'elle n'apparaisse délibérée sous sa forme présente : aussi étranger que l'on soit aux voies secrètes du christianisme, il n'était que de s'en tenir aux indications de Graham Greene pour nous en donner une approximative traduction. Seulement il ne leur aurait plus été si facile de faire semblant d'avoir lu de bonne foi entre les lignes. Que dire de ceux qui ont incité les auteurs du film à en dénaturer aussi tristement le sens ? Que dire des naïfs dont les pieuses consciences ont décerné à cette bondieuserie un prix qu'ils osèrent dire chrétien ? C'est tout le problème de l'adaptation qui, à propos de ce film, se trouve une fois encore posé.

## 2. *Première désillusion.*

Je n'ai pas eu l'occasion de lire la nouvelle de Graham Greene d'où Carol Reed a tiré *Première désillusion* (*The Fallen Idol*, 1948). Comme souvent chez Greene, dont le « Moi-même et mon créateur », de Newman, pourrait être la devise, une intrigue plus ou moins policière sert de cadre au vrai sujet dont la gravité dépasse son prétexte. Mais aussi profond dans l'intention et subtil dans sa narration que puisse se révéler le récit de Greene, il me paraît impossible qu'il soit plus riche, *littérairement parlant*, que le film de Carol Reed. Nous commençons seulement à soupçonner la puissance expressive du cinéma quant à la seule aventure qui importe : celle de l'homme. La nouveauté de *The Fallen Idol* et son prix viennent de la multiplicité de ses nuances et de ses arrière-plans. Complexité qui l'égale, en droit sinon en fait, aux meilleurs livres, la différence ne tenant plus à l'infériorité d'une écriture par rapport à une autre, mais seulement au moindre génie de l'écrivain. Graham Greene et Carol Reed ensemble ne valent pas Dickens. Mais si *Fallen Idol*, le film, est inférieur à *Oliver Twist*, le roman, il soutient la comparaison avec *Un Cyclone à la Jamaïque*, ce qui n'est pas peu dire.

Ces titres ne sont point venus par hasard sous ma plume. Il s'agit, en effet, toujours du même univers, celui de l'enfance. *The Fallen Idol* est centré sur le petit Bobby Henrey, soit que nous voyions par ses yeux le monde insolite des grandes personnes, soit que celui-ci se fausse par l'intrusion plus mystérieuse encore de l'irréductible logique enfantine. Parce qu'un gosse en a été le seul témoin, les événements les moins équivoques changent de nature. Nous assistons, impuissants, et avec malaise, à cette détérioration du réel qui fait les mensonges des adultes plus vrais que la vérité d'un enfant. Ce n'est point seulement un bel amour que le regard du gamin désenchante. C'est notre innocence qui, implacablement, se mue en culpabilité. Ces bons acteurs, Ralph Richardson et Michèle Morgan, nous paraissent d'autant plus admirables que nous nous solidarisons davantage avec eux.

Bobby aime un serviteur de son père parce qu'il incarne à ses yeux tous ses mythes. La scène où il le compromet toujours un peu plus au regard de la police, à mesure qu'il veut un peu plus le sauver, est l'une des plus pathétiques auxquelles il me fut donné d'assister, au cinéma, au théâtre et même dans un livre. Mais le caractère dramatique de la situation enlève à notre émotion un peu de sa pureté. Nous craignons d'être dupes d'une machination dont notre sensibilité serait trop facilement victime. C'est pourquoi je préfère encore à ce passage les parties plus discrètes des premières bobines, où l'intrigue et même l'anecdote sont réduites au minimum. Un enfant observe les allées et venues des grandes personnes qui nous apparaissent incompréhensibles par ses yeux en même temps que nous les comprenons par les nôtres. Un enfant joue. Un enfant rêve debout. Nous entendons ses propos par les oreilles indifférentes de ses interlocuteurs adultes, mais leur accordons au moment même l'importance qu'ils revêtent pour lui. Pas le moindre prétexte ici à l'émotion qui, tenant seulement au talent avec lequel ces simples scènes nous sont racontées, n'en est que plus poignante.

Rarement un film a été si loin avec si peu de moyens. Nous apprenons toujours bien au delà de ce que l'on nous montre et de ce que l'on nous dit. Voilà l'art. Voilà le cinéma. Voilà pourquoi c'est de plus en plus souvent un film que ceux qui auraient été naguère de jeunes écrivains, souhaitent maintenant *écrire* sur le papier, puis dans l'espace, au lieu d'un premier roman.

### 3. *Le Troisième Homme.*

Graham Greene est le premier écrivain de l'écran qui ait su concilier à ce point les exigences de l'industrie non

seulement avec celles de l'art mais avec celles de l'âme.
D'où le ton irremplaçable de chacun des films où sa signature figure. Tel le *Tueur à gages* de Frank Tuttle, adapté
du roman portant en français le même titre (*This Gun for
Hire*, 1942). Tel le *Gang des tueurs* que John Boulting tira
en 1949 de *Brighton Rock*. Dans ce dernier film, le texte
préexistant de Graham Greene avait été par Graham Greene
lui-même porté à l'écran en perdant le plus significatif de
sa profondeur et de ses résonances. Un roman policier où
ce n'était pas un Sherlock Holmes quelconque qui tirait
les ficelles ne pouvait de toutes façons aboutir qu'à un drôle de
*thriller*. Mais il y avait entre le sordide de l'intrigue criminelle et le sublime de celle qui opposait à Dieu l'une de ses
créatures les plus perdues (aspect du roman le moins bien
rendu par le film), une observation méticuleuse de certains
aspects inconnus de la vie britannique : l'ensoleillement de
cette si jolie petite plage anglaise nous semblait aussi insolite que sa vulgarité. Et tout cela, décevant ou non du point
de vue romanesque, n'était jamais indifférent à l'écran
parce que John Boulting l'avait gravé en images qui, à
l'exemple des évocations du roman, apparaissaient *sur plusieurs plans*. J'ai toujours échoué à définir, même dans ses
seuls résultats actuels, la *valeur tactile* propre à la spécificité
cinématographique. Un film comme *Le Gang des tueurs*
nous dispense de phrases à ce sujet : nous y voyons en per-
manence ce que nous continuons à ne pas savoir davantage.
Mais qu'importe si l'évidence est là !

Le texte de Graham Greene dont Carol Reed disposait
pour *Le Troisième Homme* (1949), accédait par des voies aussi
arbitraires à la vérité humaine, mais il nous la rendait évidente dans sa plénitude et sa complexité. Grâce d'abord à
une irremplaçable écriture. Grâce surtout au ton de Graham
Greene lui-même. Car telle est l'habituelle manière de cet
auteur lorsqu'il écrit pour le cinéma. Les conventions du style
policier et ses invraisemblances servent son propos. C'est que
Greene est dépositaire d'un secret et qu'il a choisi de le
rendre sensible aux foules en parlant apparemment leur
facile et frivole langage.

La question se pose de savoir si c'est à Carol Reed ou à son
opérateur Robert Krasker qu'il faut attribuer cette pré-
dilection pour les pavés luisants dont *Huit heures de sursis*
faisait déjà un excessif usage et qui reparaissent avec aussi
peu de discrétion dans *Le Troisième Homme*. Seulement,

le *Brève rencontre* de David Lean, qui était aussi de Krasker pour les images, ne nous montrait, sauf erreur, rien de tel, alors que le *Première désillusion* du même Carol Reed, mais d'un autre opérateur, reprenait en passant ce thème d'une façon moins justifiable encore. Si bien que force nous est d'y reconnaître un des *leitmotive* propre à la vision du seul Carol Reed. Ce n'est pas celui que nous préférons quant à nous, de tels éclairages étant trop romantiques et ayant l'inconvénient de dépersonnaliser les lieux de l'action, au point que Dublin, Londres et Vienne se présentent dans les films de cet auteur avec le même nocturne et pluvieux visage. Si le propre des artistes est d'imposer leur marque à tout ce qu'ils décrivent, ce sont de fausses beautés que celles de ces reflets mouillés.

Dès le générique du *Troisième Homme*, nous entrons pourtant dans une sorte d'enchantement qui ne cesse qu'à la fin du film. Le motif musical, joué sur quelques notes toujours les mêmes par une obsédante cithare, est pour beaucoup dans cet envoûtement. Mais, là encore, les moyens employés manquent trop de retenue pour que nous acceptions sans arrière-pensée l'incontestable défaite de notre sens critique, ce qui la change aussitôt en une sorte de victoire et introduit la faille d'un subtil échec dans la réussite du film.

Bien qu'il apparaisse peu sur l'écran, Orson Welles écrase de sa présence ces excellents comédiens que sont Joseph Cotten, Trevor Howard et Alida Valli. Le premier plan où on l'aperçoit, celui où il se cache dans l'embrasure d'une porte cochère, est physiquement et métaphysiquement saisissant. Mais, de l'interprétation, l'ombre d'Orson Welles glisse peu à peu sur la réalisation qu'elle couvre soudain de sa masse démesurée. On aimerait savoir quels ont été les rapports de Welles avec le metteur en scène avant et pendant le tournage. De toutes façons, son influence, si elle n'a pas été directe, a joué indirectement. Il est probable, étant donné la date concomitante de la réalisation de ces deux bandes, que Carol Reed n'a pas vu le *He walked by night* d'Alfred Werker qui s'achève, comme *Le Troisième Homme*, par une hallucinante poursuite dans les égouts : les ressemblances tiennent sans doute à la conformité du décor et à une commune photogénie. Ce que, en revanche, Carol Reed ne pourra, semble-t-il, nier, c'est d'avoir été marqué par *La Dame de Shangaï*, dont il a visiblement assimilé les plus

brillants effets qui sont aussi les plus gratuits. A cette virtuosité formelle du *Troisième Homme* et à ses morceaux
de bravoure inspirés d'Orson Welles, il faut préférer la
discrétion de *Première désillusion* où la spécificité nous était
d'un bout à l'autre rendue sensible sans que nous puissions
l'accrocher à aucun détail matériel précis. Certes, le courant
passe aussi dans *Le Troisième Homme*, mais nous assistons
à la fabrication des étincelles et la machinerie détourne
l'attention de la magie.

La nouveauté du *Troisième Homme* et sa beauté tiennent
au sujet. C'est donc à Graham Greene qu'en revient l'honneur. Ce romancier affectionne l'alibi des thèmes policiers
qui lui permettent d'initier sans dépaysement le grand public du cinéma à sa métaphysique personnelle. Les spectateurs seront plus ou moins sensibles aux arrière-plans religieux de ces intrigues criminelles. Mais ceux-là mêmes qui
n'en soupçonneront rien ne seront pas déçus, les *thrillers*
de Greene, réduits à leur plus superficielle apparence, étant
aussi distrayants que d'autres. En réalité, ces hommes
traqués par la police le sont plus encore par Dieu, et c'est
à cet extrême péril de leur âme qu'ils doivent surtout l'angoisse de leur corps. *The Third Man* est un *thriller* si l'on
veut : mais c'est, une fois de plus, Dieu et Satan qui jouent
au gendarme et au voleur et les pauvres hommes passent
d'un camp à l'autre *en sachant ce qu'ils font*. Graham Greene,
c'est, toutes proportions gardées, Blaise Pascal qui fait
servir Edgar Poe à sa prédication.

*Le Troisième Homme* joue plus subtilement que jamais
sur ces deux tableaux. Un bandit, et de la plus méprisable
espèce, est livré par son meilleur ami qui, socialement et
même moralement, ne peut agir d'autre façon. Mais s'il se
conduit incontestablement en bon citoyen, il n'en commet
pas moins, ce faisant, une trahison sur le plan métaphysique.
L'audace est de nous l'avoir fait apparaître comme telle,
en dépit de tout ce qui la justifiait et en faisait même un
devoir du point de vue du salut public. Mais les faits sont là,
ou plutôt l'effet : ce refus de tout notre être. Le *tu ne jugeras
pas* du Christ l'emporte sur les meilleures raisons et sur la
raison. C'est ce que nous apprend, au moment même où il
s'adoucit d'un pardon doublement rédempteur, le dernier
regard que lève sur son dénonciateur l'abject voleur de péni-
cilline. Et nous comprenons que se détourne à tout jamais
de cet honnête collaborateur des policiers, la femme qu'il

aimait et que, jusqu'à cette minute où il s'est perdu pour
sauver des hommes, elle aimait.

### 4. Le Fond du problème.

Le Fond du problème est l'un des plus beaux romans de
Graham Greene (The Heart of the matter). George More
O'Ferrall en tira un film que nous vîmes pour la première
fois en 1953 au festival de Cannes. L'adaptation m'apparut
alors d'une honnêteté sans génie. Je remarquai pourtant que
le texte subsistant demeurait d'une telle beauté qu'il transfi-
gurait les plus fades images. Ce qui était engagé par lui de
fondamental me parut alors échapper totalement à un
public qui riait au moment où j'avais, moi, envie de pleurer.

Revu à Paris, j'ai trouvé ce film plus émouvant encore,
mais sans fadeur aucune. L'optique des festivals est décidément trompeuse. Trop de films présentés en trop peu
de temps émoussent la sensibilité et trompent le jugement.
Tout se passe comme si l'esprit surmené se mettait dans un
demi-sommeil et ne recevait plus que l'essentiel de ce qui
lui était transmis : les images et les mots indispensables à la
compréhension du scénario, au détriment des contrepoints
moins voyants, moins insistants et pourtant d'une signification souvent plus grave. Je n'avais gardé nul souvenir des extérieurs de ce film, tournés sans concession aucune au pittoresque en Sierra Leone, ni de la sonorisation dont la discrétion
ne rend que plus précieux le sens pour qui sait entendre.

Comme toujours au cinéma, l'adaptation du roman préexistant a été faite dans le sens de la simplification. On a réduit
les péripéties aux quelques intrigues linéaires suffisantes
pour les signifier. « Quant à Dieu, Scobie ne pouvait plus lui
parler que sur le ton qu'on adopte avec un ennemi. Il y
avait beaucoup d'amertume entre eux. Il déplaça sa main
sur la table et ce fut comme si sa solitude bougeait aussi,
comme si le bout de leurs doigts se rencontrait... » De telles
notations, qui sont ce qu'il y a de plus important dans le
livre, échappent au cinéma. La seule façon de les introduire
dans un film est de les faire proférer par la voix du héros.
Ainsi fit Robert Bresson avec Journal d'un curé de campagne
qui reste, à ce jour, la meilleure utilisation cinématographique connue de la littérature : par la transposition en images d'abord, mais aussi par l'emploi direct du texte même de

l'auteur. Le metteur en scène et l'adaptateur britanniques n'ont tenu quant à eux aucun compte du journal, du reste (volontairement) élémentaire de Scobie. Ce journal jouait un rôle important dans la préparation par son auteur d'un suicide qu'il voulait camoufler. Préparé dans le film non par le poison mais par le revolver, ce suicide nous est donné comme manqué, contrairement à ce qui se passait dans le roman, sans que pour autant le sens véritable de la mort de Scobie soit trahi. Il fallait donner l'impression au spectateur que le héros du *Fond du problème* était malgré tout sauvé du point de vue chrétien. Le cinéma ne pouvait y réussir par les moyens complexes de l'écriture.

Une fois de plus chez Graham Greene, c'est Dieu qui tient le rôle principal. D'où l'étonnement d'un public qui n'a pas l'habitude de voir traiter à l'écran de tels sujets — et si complexes : car le catholicisme de cet auteur n'est pas simple, à la fois terriblement exigeant et personnel, janséniste et pourtant adouci de complaisances surprenantes. Dieu, Dieu seul. Un Dieu impitoyable et pourtant à l'insondable amour. « Il savait sûrement qu'il se damnait lui-même... Il n'a jamais cru à la mansuétude, sauf en ce qui concernait autrui... » Mais à la femme de Scobie qui murmure : « On ne peut même pas prier pour lui ! » le Père répond : « Pour l'amour du Ciel, n'allez pas imaginer que vous... ou moi, nous ayons la moindre idée de ce que peut être la miséricorde divine. » Cela n'est pas dans le film, ni l'admirable dialogue final :

« — Sans doute, cela va-t-il vous sembler bien étrange, dit le Père Rank, que je parle ainsi d'un homme coupable, mais je crois, d'après ce que j'ai vu de lui, qu'il aimait vraiment Dieu.

— Il n'aimait assurément personne d'autre, dit-elle.

— Il se peut qu'en ceci vous ayez tout à fait raison, répliqua le Père Rank. »

Le cinéma n'exprime donc pas cela. Mais il exprime la même chose dans sa langue à lui. Il dispose de la figure de l'homme, dont on a dit que son seul aspect est une preuve de l'existence divine. La caméra en manifeste mieux peut-être que n'importe quel autre art le secret. Le visage à la fois enfantin et ravagé de Trevor Howard nous fait comprendre mieux encore que par des mots malgré tout balbutiants ce que Graham Greene voulait nous faire entendre : la solitude de l'homme, ce trop-plein d'amour dont il ne sait que faire, et, au sein même du désespoir, un espoir sans mesure...

### 5. *La Fin d'une liaison.*

Dans *La Fin d'une liaison* comme dans le film qui en a été tiré sous le titre *Vivre un grand amour*, tout peut s'expliquer de façon naturelle. Si Maurice Bendrix apparaît à sa maîtresse, couvert de gravats et blessé mais vivant, c'est que la prière de Sarah avait été inutile, son amant n'ayant pas été tué dans le bombardement comme elle l'avait cru en voyant une de ses mains émerger seule des décombres. Ou, pour ceux qui ont la foi (mais pas jusqu'à croire *vraiment* au miracle), c'est que Dieu, ayant su dans son intemporalité que Sarah lui promettait de croire en lui et de renoncer à son amour si Maurice n'était pas tué, avait épargné sa vie, ce qui le dispensait d'avoir à le ressusciter.

Graham Greene dans le roman et Edward Dmitryk dans le film se sont arrangés pour que l'histoire racontée ne perde rien de sa cohérence et de son intérêt aux yeux des lecteurs et des spectateurs qui ne soupçonneraient pas le vrai sujet de l'œuvre, lequel est absurde et proprement impensable pour la quasi-totalité d'entre eux. Il est toutefois hors de doute que, dans l'esprit de l'auteur, seul juge et dont nous devons accepter le postulat, il y a eu miracle. Miracle qu'a respecté Edward Dmitryk, en se contentant de sauver les apparences : et ce n'est pas le moindre prodige de cette aventure qu'un tel sujet ait pu être traité pour la Columbia et imposé aux foules.

Je suis sensibilisé aux rares films véritablement religieux, dont celui-ci ne me paraît pas être l'un des moins beaux ni des moins convaincants. Probablement parce que l'expression péremptoire du cinéma matérialise et rend sensible cette réalité surnaturelle qui est, hélas, si peu perceptible dans la vie. Homme de peu de foi, je n'ai pas mis une seule seconde en doute que la prière de Sarah n'ait ressuscité Maurice. Qu'elle ne fût (ou plutôt qu'elle ne se crût) point croyante au moment où elle faisait cette prière (« Je renoncerai à lui pour toujours, mais qu'il soit vivant... »), ne m'a rendu le miracle que moins douteux encore. Ainsi sommes-nous : plus déraisonnables que la Déraison en laquelle nous ne pouvons nous résoudre à croire.

Au moment où Sarah embrasse la tache de vin dont est sali le visage du prédicant de Hyde-Park dont elle aurait voulu apprendre l'incroyance (afin d'avoir une raison de ne pas tenir sa promesse), je n'aurais pas été étonné si la marque violacée s'était, sur l'écran, lentement effacée. Réminiscence du roman, où elle disparaît, en effet, mais longtemps après, pour que là encore une explication soit possible ? Bien plutôt état de grâce, foi qui déplace les montagnes. J'ai écrit autrefois qu'il y a une sorte de miracle en des œuvres comme *Monsieur Vincent*, et, à un degré naturellement beaucoup plus grand, comme *Journal d'un curé de campagne*, qui est de faire connaître par l'intérieur la foi pour laquelle elles portent témoignage. Tant que dure la projection (mais pas plus longtemps, hélas), je me sens aussi croyant que le plus religieux des êtres et presque initié à la paix mystique.

Edward Dmitryk a traité son film avec une sobriété inhabituelle à ce virtuose. *Vivre un grand amour* ressemble plus en son apparente grisaille au *Fond du problème* (qui n'est pas de lui et qui serait terne si la beauté du sujet ne l'emportait sur celle des images) qu'à *Murder, My Sweet* ou à *Crossfire*. Lorsqu'un auteur a la personnalité de Graham Greene, son talent l'emporte sur celui de ses adaptateurs. Il impose l'unité d'une même inspiration à une œuvre cinématographique disparate. Il n'est pas jusqu'à l'indéfendable *Dieu est mort*, qui ne conserve un peu de son style.

Il y a dans *The End of the affair* de beaux silences. Une imperceptible hésitation de Deborah Kerr, avant de nommer Dieu, plus démonstrative qu'aucune profession de foi. Une toux venant au dernier moment empêcher le baiser défendu, plus expressive encore que dans le livre. Une allusion à un baptême qui donne envie de prier. L'adaptation est d'une rare fidélité. Il s'y trouve jusqu'à des traits étrangers au sujet, ceux-là mêmes que se seraient empressés de faire sauter les Aurenche-Bost et les Spaak. Ce sont eux pourtant qui donnent au roman comme au film leur relief.

Les acteurs sont remarquables jusque dans les rôles secondaires (notamment ceux qui incarnent le mari de Sarah et le détective privé). Van Johnson est bon dans le personnage du romancier Maurice Bendrix. Deborah Kerr émouvante : son visage, comme celui de Van Johnson, a été, semble-t-il, à peine maquillé. On y lit l'usure des jours et les fatigues de l'âge.

Il faut enfin signaler que Jacqueline Porel excelle dans la version française du film. (La post-synchronisation en est du reste tout entière réussie.) On est injuste pour les artistes quasi anonymes qui donnent le meilleur d'eux-mêmes dans ce difficile travail du doublage. Jacqueline Porel prête sa voix à beaucoup d'actrices américaines. Son travail est toujours consciencieux et bon. Cette fois, il est bouleversant. « J'ai attrapé la foi comme on attrape une maladie. Je suis tombée croyante comme on tombe amoureuse... » Substitution soudaine du visage de Jacqueline Porel à sa voix : c'est elle que nous croyons voir. Elle n'a jamais été si belle. Jamais elle n'a mieux joué.

DEUXIÈME PARTIE

# ÉCRIVAINS DE CINÉMA

Robert Bresson. [Cl. Radio-Cinéma.]

# I

## ROBERT BRESSON

Il est étrange de penser que les auteurs de Robert Bresson (qui a la phobie de ce qui est remplissage, bavardage, faux-semblant) ont été jusqu'à maintenant aux antipodes de sa nature. Dans *Les Anges du péché*, film de qualité qui le révéla (1943), la préciosité de Jean Giraudoux s'accommodait mal du jansénisme cinématographique déjà accusé de Bresson. Dans *Les Dames du Bois de Boulogne* (1944), les arabesques de Cocteau, même assagies par Diderot, juraient avec le style linéaire de la mise en scène. L'écriture gonflée de richesses d'un Bernanos ne va pas enfin sans une surabondance avec laquelle Bresson ne put s'accorder dans *Journal d'un curé de campagne* qu'à coups de ciseaux. La vérité est que son plus grand film, Bresson l'écrira lui-même. Henri Jeanson nota un jour : « Un modèle d'adaptation fidèle, c'est, paraît-il, *Le Journal d'un curé de campagne*. Moi, je veux bien. Le réalisateur ne nous a fait grâce d'aucun des paragraphes de Bernanos, d'aucune de ses intentions. Or le film est bien, de toutes les choses ennuyeuses dont la vue nous accable, l'une des plus ennuyeuses de ces choses, alors que le livre de Bernanos est passionnant. D'où je conclus que l'excès de la fidélité est le comble de la trahison. » S'ennuyer au film de Robert Bresson ! Mais ce sont des réactions qui ne se discutent pas. En revanche, les faits sont là que l'on ne peut nier. Contrairement à ce qui vient de nous être dit, Bresson a su être fidèle au roman de Bernanos en n'utilisant qu'un nombre relativement faible de ses « paragraphes ». Seulement des images remplacent les mots qui manquent, si bien que l'on ne s'aperçoit pas de la substitution.

Le langage cinématographique fit un progrès décis;
le jour où l'on découvrit, grâce au gros plan, qu'un lége
tremblement des lèvres ou un battement de paupières pou
vait plus efficacement signifier une pensée intime que l'hab;
tuelle et peu discrète mimique théâtrale. Mais, jusqu'à un
date relativement récente, il n'avait été fait appel à la vi
intérieure, au cinéma, que dans la mesure où la connaissanc
qui en était brièvement donnée pouvait aider au développe
ment et à la compréhension d'une action tout extérieure. Peut
être faut-il attendre jusqu'au personnage incarné par Dali
dans *La Règle du jeu* (1939) pour trouver en marge de l'évé
nement une présence continue des sentiments personnel
du héros principal. Mais cette souffrance sans geste ni parole
si elle était l'un des thèmes principaux du film, restait dan
un contrepoint constant avec une intrigue particulièremen
agitée qui ne prenait sa signification que par rapport à c
drame invisible et muet. La plupart des critiques ne furen
alors sensibles qu'au plus spectaculaire ; ils virent le mouve
ment mais ignorèrent le sentiment ; d'où une méconnais
sance à peu près générale de cette œuvre, l'une des plu
importantes et des plus riches du cinéma.

Le *Journal d'un curé de campagne* (1950) va beaucou;
plus loin dans l'intériorisation. L'un des termes de la réalit
est sacrifié, et c'est paradoxalement celui où le cinéma avai
triomphé dès son avènement et qui apparaissait comme so
unique royaume : le monde extérieur. Robert Bresson nou;
donne le premier film de la vie intérieure, et où il n'inter
vient d'autre vie qu'intérieure. Étonnons-nous dès lor;
d'avoir été dérouté, au point qu'il nous a fallu, lors de la
première vision, de longues minutes pour nous remettre
de notre étonnement rompre à notre tour avec les conventions traditionnelles de l'écran et découvrir la grandeur de
cette œuvre...

La matière première du cinéma demeure toujours ici la
terre des hommes et la lumière du soleil. Comment aurait-i
pu en être autrement ? Mais les visages qui nous sont montrés, sans que leur réalité puisse aussi peu que ce soit être
contestée, ne sont plus tout à fait de ce monde. Mais ces
chemins, ces champs, ces maisons, filmés avec une honnêteté qui exclut toutes les fausses beautés de la photogénie,
sont légèrement autres que leur apparence coutumière.
Cet imperceptible décalage, il serait sans doute possible
d'en découvrir les moyens. Encore que nous ayons moins

*Journal d'un curé de campagne.* [Cl. Radio-Cinéma.]

affaire ici à des procédés d'écriture qu'à un inimitable style, certaines de ces découvertes formelles entreront probablement dans le domaine commun du cinéma et seront réutilisées à l'avenir. Quoi qu'il en soit, de cette marge qui sépare de leur propre réalité de très réels objets, nous connaissons la vraie nature. Nous sommes ici dans le domaine d'un monde recréé intérieurement par l'homme qui se souvient. Avec intervention d'un artiste qui matérialise pour nous l'impalpable. Et même de deux artistes : car derrière Robert Bresson, qui filme effectivement l'invisible film de la vie intérieure, il y a la matière déjà esthétiquement élaborée par Georges Bernanos et que, scrupuleusement, avec une fidélité et un respect sans précédents au cinéma, réutilise Robert Bresson. Nous savons maintenant qu'il sera un jour possible de porter sans trahison *A la recherche du temps perdu* au cinéma.

Ce pays d'Equirre et de Torcy, Robert Bresson a bien dû

en filmer de plein fouet l'austère réalité. Comme il faudra bien que le futur adaptateur de Proust s'accommode d'Illiers pour recréer Combray. Mais si Bresson a dû affronter face à face ces terres françaises du Nord, il sut accomplir la recréation exigée par son sujet, le moins cinématographique qui soit, au sens habituel du terme. Car ce n'était pas une vue directe des êtres et des choses que nous présentait Bernanos, mais leur évocation par le prêtre malade, abandonné et solitaire qui, au soir de ses épuisantes journées de curé de campagne, écrivait son journal pour voir un peu plus clair dans son âme. Un pauvre prêtre incompris des hommes, laissé par Dieu même dans les ténèbres et qui pourtant, sans le savoir, était un saint. Dès lors, les événements rapportés subissaient une double transformation : celle du récit, toujours simplificateur, et dont l'optique aurait été de même nature chez n'importe quel homme ordonnant ses souvenirs pour écrire son journal ; et celle d'une foi vivante, qui, dans les êtres comme dans les choses, ne retenait que la présence ou l'absence de Dieu.

Cette transposition de l'art, cette transfiguration de l'âme, Robert Bresson réussit à nous les rendre sensibles. Par quelle méthode ? La plus simple. Tellement simple qu'elle semblait exclure ce minimum de tricherie sans lequel il n'est pas d'œuvre concevable. Bref, en suivant le texte ligne à ligne. En ne mettant rien dans le film qui ne soit dans le livre. En mettant tout dans le film de ce qui est dans le livre. Bresson a réduit au minimum les inévitables resserrements de l'action et des dialogues. Mais, à cela près, tout est reproduit, mot à mot et mot à image.

L'exemple des adaptateurs qui ont précédé Bresson est ici éclairant. Je ne parle point de ceux qui voient dans l'exploitation des chefs-d'œuvre une profitable affaire : médiocres pilleurs de trésors dont ils n'ont même pas l'usage. Non, je n'en ai pas aux désinvoltes profanateurs, mais à ces vrais artistes que sont, par exemple, Jean Aurenche et Pierre Bost. S'ils nous ont donné avec *Le Diable au corps* une œuvre qui n'était pas éloignée, en qualité, de l'original, ils n'ont pourtant pas su, ou pas voulu, se mettre à son exclusif service. Je veux dire que, s'ils se sont montrés en créateurs dignes de leur modèle, ils se sont néanmoins préférés à lui : Raymond Radiguet ne leur a été qu'un prétexte à se manifester de façon plus éclatante en tant que Jean Aurenche et Pierre Bost. On comprend que Georges

Bernanos ait jugé inutile de faire servir sa gloire à la leur et qu'il n'ait pas donné son accord à la première adaptation du *Journal d'un curé de campagne* dont ils étaient les auteurs.

En revanche, le travail de Robert Bresson l'aurait certainement comblé. Humble labeur de copiste qui a autant de génie que son maître, et qui l'ignore. Race perdue des artistes tout entiers cachés derrière leur création. Si les mœurs de l'époque avaient seulement rendu la chose concevable, Robert Bresson n'aurait probablement pas songé à signer le film qui lui donna tant de peine. On lui a reproché la rigueur de sa direction et cette ascèse qu'il imposa aux acteurs, pour la plupart non professionnels, et aux techniciens dont il s'entoura. Mais c'est aussi qu'il ne s'accordait rien à lui-même. Les adaptations cinématographiques des livres que nous aimons nous déçoivent toujours dans la mesure où les plus fidèles superposent un autre univers à celui que nous avions évoqué nous-mêmes sur l'écran de notre esprit. Mais ici le texte précède, accompagne et suit une illustration qui ne cesse de le reproduire que pour le prolonger. D'être ainsi réduites à l'essentiel donne plus de beauté encore aux pages de Bernanos. Et ce dépouillement se retrouve, dans l'image, aussi expressif et nu.

On se demande comment Robert Bresson a pu maîtriser une réalité qu'il photographiait pourtant dans son foisonnement. Pas une branche d'arbre, pas un nuage, pas un pli du paysage ou des visages dont l'apparition, à ce moment, ne nous paraisse nécessaire. Ainsi est reproduit, dans une autre langue, mais textuellement, toute la partie du récit que nous ne lisons pas sur le cahier sans cesse retrouvé du jeune prêtre, ou que sa voix ne nous fait pas entendre, dont la tonalité neutre, morne, impitoyable, est celle-là même du monologue intérieur. Bresson n'a pas ajouté un geste ni une parole à ce que Bernanos avait indiqué du comportement de ses personnages. Et s'il a placé sur une cheminée quelques objets qui n'avaient pas été inventoriés par l'auteur, c'est que leur présence, en un tel endroit, allait de soi. Encore le moindre bibelot dont Bernanos n'avait point parlé et dont l'action impliquait la présence, dût-il poser à Robert Bresson un cas de conscience.

Les acteurs ? On soupçonne le réalisateur de les avoir eux-mêmes maniés comme des objets. Le cinéma, plus encore que le théâtre, dans la mesure où il touche autant à la plastique qu'au dramatique, est le seul domaine où, sans tra-

hison, l'homme peut être par l'homme traité en tant que
moyen. Les grands comédiens plient leur génie à cette nécessité. Lorsqu'il y a carence ou insuffisance du metteur en
scène, ils se substituent à lui, s'imposant seuls la discipline
nécessaire, comme on a vu quelquefois avec Pierre Fresnay.
A l'opposé de *Monsieur Vincent*, où non seulement l'interprète principal n'est pas dirigé mais où il donne à l'œuvre
sa direction, il y a *Journal d'un curé de campagne* où il
est matière plastique entre les mains d'un créateur acharné
à le vaincre. Même entièrement soumis, un être humain
a pourtant son inertie et sa pesanteur. Bresson en a fait
l'expérience. S'il n'a jamais laissé faire ce qu'ils voulaient
à ses comédiens, il n'a pas tout à fait réussi à les plier à sa
volonté, elle-même dépendante de celle de Bernanos. Certains personnages sont décevants : la comtesse, par exemple,
et le comte. Il est vrai qu'ils étaient déjà quelque peu
conventionnels dans le roman. En revanche, Claude
Laydu prête au curé de campagne un visage dont on n'imagine pas qu'il aurait pu être différent. La relative maladresse
de son jeu, ce qu'il y a d'un peu outré dans sa mimique et
que Bresson n'a pu tout à fait contrôler, est compensé par
l'irrécusable présence de ce qui, en l'homme, est au delà
de l'apparence. Mêmes remarques pour Nicole Ladmiral
(Chantal) et surtout pour M. Guibert, qui est un curé de
Torcy bouleversant et dont j'ai entendu dire qu'il était le
médecin de Robert Bresson. Nous ne pouvons cependant
rien en conclure pour ou contre l'emploi au cinéma de comédiens amateurs. En effet, Balpêtré, dans le rôle du docteur
(admirable chez Bernanos, mais ici un peu sacrifié), apparaît
conventionnel en raison même de sa science du métier.
Mais c'est aussi une comédienne professionnelle, Yvette
Étiévant, qui, dans le rôle de la compagne du séminariste
défroqué, réussit par les moyens les plus discrètement effi-
caces à nous émouvoir.

\*
\* \*

« Doucement, je bougeai le bras, je mis la main sur la
poignée de la portière et forçai légèrement ; je la sentis
céder sans bruit... » Ainsi commençait dans *Le Figaro Littéraire* du 20 novembre 1954 le récit d'André Devigny, *Un
condamné à mort s'est échappé*, d'où Robert Bresson tira

nsuite un film sous le même titre. Adaptation de mot à ima-
ve, tout au moins pour ce début qui est, à un détail près,
·elui que nous voyons sur l'écran.

Cette porte d'auto qui s'ouvre imperceptiblement, lors
l'une première tentative d'évasion du prisonnier de la Gesta-
Jo, symbolise une œuvre en partie vouée au silence et à ce
jui le rompt pour un condamné aux aguets. Rumeurs de la
/ille proche avec la sonnerie et le grincement d'un tram
·égulier, les sifflements et le fracas des trains (le fort de
Montluc est situé près d'une voie ferrée). Gémissements de
·amarades brutalisés ou dont le sommeil agité aiguise le
lésespoir et sape le courage. Rafales brèves des exécutions.
²as menaçants qui se rapprochent tandis que le prisonnier
lémonte sa porte le plus discrètement possible — mais un
·bjet tombe et le bruit se répercute de façon angoissante
lans le calme nocturne. Point de musique, si ce n'est, de
.emps à autre, l'orchestre et les chœurs d'un Mozart reli-
3ieux. (Il est vrai que tous les Mozart sont religieux.)

Film dédié au silence, mais aussi au visage humain. Robert
3resson, généralisant sa première expérience de *Journal
l'un curé de campagne*, n'a voulu aucun acteur profession-
1el. Il a choisi ses interprètes pour leurs regards. Pour leur
àme. Un agrégatif de philosophie, un vieil écrivain, un jour-
1aliste. Un orphelin aussi, pensionnaire d'un établissement
l'assistance : cette figure-là, durcie à force de souffrance
et de solitude, ce masque fermé, hostile, malheureux où
demeurent d'inextinguibles traces d'espérance et de tendresse
est un cri de révolte, un acte d'accusation vivants.

Dès le début d'*Un condamné à mort s'est échappé*, nous
avons l'impression, en entendant ce texte récité hors-champ
d'une voix monocorde et pourtant bouleversante, d'écouter
des paroles déjà entendues. « Ma cellule ne mesurait pas
trois mètres sur deux. Le mobilier en était des plus simples :
un cadre de bois recouvert d'un grillage... » Ces mots ne nous
renvoient pas au récit du *Figaro Littéraire* où nous les avons
lus autrefois et où Bresson les a pris, mais au précédent film
de l'auteur : ce *Journal d'un curé de campagne* où c'était
pourtant une autre voix qui prononçait un autre texte
pareillement neutre. Ici apparaît le style immédiatement reconnaissable de Robert Bresson. Les vrais artistes recréent ce
qu'ils expriment et ils le recréent toujours de la même façon.

L'un des interprètes, Roland Monod, qui tient le rôle du
pasteur, Roland de Pury, expliqua dans un numéro des

*Cahiers du Cinéma* comment travaille Bresson avec ses acteurs, ou plutôt comment il les travaille, afin qu'ils ne soient plus eux-mêmes mais ce qu'il veut qu'ils soient. Le metteur en scène indique d'abord au jeune homme que, la force de son personnage procédant d'une vie intérieure intense, plus il se refermerait sur lui, moins « il se donnerait », et plus cette réalité profonde affleurerait sur l'écran.

« Phrase par phrase, presque mot par mot, nous avons redit nos répliques à la suite de l'auteur, dix fois, vingt fois, trente fois, cherchant à épouser au maximum les intonations, le rythme, presque le timbre de sa voix. Tous les rôles sont désormais tenus par Bresson, il n'y a aucun paradoxe à l'affirmer. »

Ce film, qui a coûté moins de cent millions (du fait qu'il n'y avait aucun cachet de vedette), a pourtant nécessité soixante mille mètres de pellicule impressionnée. Robert Bresson en retint les deux mille cinq cents qui sont seuls projetés. C'est dire son exigence, peut-être sans exemple dans toute l'histoire du cinéma.

L'œuvre est d'un dépouillement sans équivalent lui aussi à l'écran. Une cellule nue, pendant de longues séquences. Une cour minuscule. Puis les murs d'une prison que l'on voit à peine dans la nuit. Pourtant Bresson a tourné sur place dans des décors réels (à l'exception des séquences de la cellule, trop exiguë pour permettre les déplacements de la caméra). On affirme même que le Garde des Sceaux fit évacuer vers un autre pénitencier cinquante détenus de Montluc afin de permettre la réalisation d'un film où l'on ne distingue pour ainsi dire rien. Tel est le besoin de vérité dont Bresson est possédé. Tout doit être authentique, les choses aussi bien que les mots. Ce film d'évasion est tourné sur les lieux mêmes où les faits se sont produits de la façon exacte dont il le raconte. Là est pour Bresson l'essentiel, même s'il est seul à le savoir (et à le voir).

Le sens de l'œuvre est donné par le sous-titre, emprunté à une phrase du Christ à Nicomède : *Le vent souffle où il veut.* Bresson a voulu exprimer par là que la volonté et l'énergie du lieutenant Devigny (qui sont pourtant une part essentielle de sa réussite) ne lui ont pas suffi. Il y fallut de surcroît une chance dont d'autres prisonniers, aussi méritants, n'ont pas bénéficié. Il y fallut le hasard. Mais Bresson ne croit pas dans le hasard. Il croit en Dieu. Les contrepoints mozartiens prennent ici leur vrai sens.

Ce film si concerté, nous avons pu voir, à l'énoncé des professions de ses interprètes, qu'il est presque exclusivement joué par des intellectuels. Intellectuels eux-mêmes désintellectualisés par un intellectuel plus rigoureux encore. Là réside le caractère exceptionnel de cette œuvre. Le courage, l'attente, la peur, l'espérance, l'audace y sont réduits aux abstractions qui les définissent. D'où une certaine froideur qui, sans empêcher notre émotion, lui donne néanmoins quelque chose de schématique.

Il est significatif de vérifier quels sont les détails indiqués dans son récit par André Devigny et que Robert Bresson a gommés si même il ne les a pas effacés. Le pasteur Roland de Pury disait : « C'est ici, à Montluc, que l'on se rend compte que la France vit. » Des *Marseillaise* s'élevaient parfois, venant du proche quartier des femmes. Lorsque ces prisonnières criaient à l'intention de leurs camarades hommes « *Vive la France !* ou *Vive de Gaulle !* notre cœur battait plus vite, l'émotion nous gagnait ». Rien de tout cela dans le film.

Le janséniste Bresson déteste les facilités de l'émotion et son impudeur. Il en réprouve l'expression là où elle serait pourtant le plus justifiée : dans une prison de condamnés à mort. Robert Bresson refuse de s'attendrir. Non seulement la sensiblerie, mais la sensibilité lui sont odieuses. C'est le seul point où il corrige (sans peut-être le savoir) la réalité que son propos était de ne jamais trahir. Sans doute est-ce une façon de lui être plus fidèle encore. Cette froideur apparente dissimule pour mieux les rendre visibles une complicité, une amitié, un amour dont l'humanité souffrante et triomphante fut rarement honorée avec autant de tact et de violence.

Luis Bunuel. [Photo Yvon Beaugier.]

## II

## LUIS  BUNUEL

Un visage enfantin et rieur sur un corps puissant ; tenant à la fois du corsaire et du boy-scout ; la peau boucanée et l'œil candide : tel m'apparut Luis Bunuel quelques minutes avant que j'aille revoir *El* (1953).

— « On aime ce film ou on le déteste, moi je l'aime : je m'y suis beaucoup appliqué parce que le sujet me tenait à cœur. Le sujet, c'est *El*. Je veux dire *Lui*. L'étude d'un homme comme il en existe beaucoup. Il avait pour moi autant de réalité qu'un *rat*. Je l'ai étudié comme un homme de science l'aurait fait d'un *rat*... »

Jamais *rat* n'a été autant lui-même que dans la bouche de Luis Bunuel dont l'air est soudain beaucoup moins rassurant. Roulant et multipliant la lettre initiale, il a nommé ce *rrrat* avec une sorte de délectation équivoque.

— « Cocteau n'a pas aimé *El*. Il a dit que ce film témoignait du suicide de Bunuel. D'autres y ont vu ce que je n'avais jamais songé à y mettre. Les théories, aussi brillantes qu'elles soient, m'importent moins que les faits. Surtout dans une œuvre comme celle-ci qui se veut aussi exacte que possible. Or le docteur Lacan, qui a vu deux fois *El*, m'a dit que mon personnage était vrai dans ses moindres détails. Ce jugement m'a été précieux. »

Les réserves que j'avais faites lors de ma première vision de *El* demeurent valables, mais elles perdent beaucoup de leur intérêt dans l'éclairage que Luis Bunuel lui-même a ainsi porté sur son œuvre que j'ai revue dans un tout autre esprit. Si l'on prend *El* comme l'étude clinique d'un cas, les aspects mélodramatiques du film s'effacent en dépit du jeu un peu trop appuyé d'Arturo de Cordova.

Il s'agit d'un malade mental, mais qui n'est tel que pour sa femme. Ses meilleurs amis ignorent son déséquilibre, et son confesseur lui-même. Le souci de sa respectabilité, un orgueil qui ne se dément pas, font que cet homme *se tient* en public, si bien même qu'on peut le citer en exemple de toutes les vertus. Chrétien, de cette façon spectaculaire qui n'existe que dans les nations de langue espagnole, il doit à la religion quelques solides garde-fous (c'est le cas de le dire).

Dans l'intimité de son ménage, ses monstres intérieurs prennent le dessus. Sa jalousie est pathologique. Il a conquis son épouse à force de volonté. Il la lui fallait à tout prix, elle et pas une autre. Nous apprenons qu'il n'avait jamais possédé aucune femme avant elle, qu'il n'en eut jamais d'autre par la suite. Cas relativement fréquent. Je comprends que le docteur Lacan se soit trouvé en pays connu. L'étrange pays de la paranoïa.

A cette jalousie qui crée elle-même son aliment avec une sorte de persévérance méthodique, à cet acharnement mis plus encore à se faire mal qu'à faire mal, s'ajoutent les nombreux symptômes d'un dérèglement spirituel qui revêt parfois insolitement les apparences d'une raison particulièrement exigeante. C'est ce qu'on pourrait appeler la logique démente. Luis Bunuel a multiplié ici les traits qui facilement passeront inaperçus si l'on néglige le véritable sujet du film pour s'attacher à l'anecdote.

Il y a le goût exacerbé de la justice dont cet homme est ou se croit possédé. Il y a cette manie de la persécution et cette tendance à voir des ennemis partout. Il y a son goût maladif de l'ordre qui lui fait redresser les tableaux ou mettre à l'alignement les souliers de sa femme. Ces souliers dont une des premières images du film nous apprennent discrètement qu'ils ont pour lui une valeur érotique puissante.

Et c'est là qu'intervient peut-être le peintre derrière le modèle. Luis Bunuel a observé son malade comme l'aurait fait un clinicien. Il a noté les symptômes, formulé un diagnostic. Mais nous sommes en droit de nous demander, à la lumière de ses films précédents, si ses propres hantises ne se sont pas quelquefois substituées à celles de son héros. La scène où ce dernier introduit une longue aiguille dans la serrure derrière laquelle se cache, croit-il, l'œil d'un voyeur ; celle où il prépare un petit paquet démoniaque, sorte de trousse du parfait obsédé, où la lame de rasoir est rangée

*El.* [Cl. Cahiers du Cinéma.]

avec un soin particulier, tout cela est trop dans le ton du *Chien andalou* ou de *L'Age d'or* pour ne point nous inquiéter. Dans un film qui se voulait également de pure observation, sur le plan du reportage cette fois, *Les Hurdes*, Luis Bunuel avait déjà laissé deviner que ses monstres intérieurs l'emportaient toujours, à la fin, sur ceux qu'il avait entrepris de peindre objectivement.

Ce qu'il y a d'envoûtant dans la moindre œuvre de Bunuel (et dans ce *El* qui n'est pas une des moindres) vient de cet engagement total et partiellement involontaire de notre auteur dans tout ce qu'il crée. Les maladresses de *El*, ce côté un peu démodé qui tient moins sans doute à Bunuel lui-même qu'à l'état présent non seulement de la société mais du cinéma mexicains, sont de négligeables défauts si on les compare aux beautés de l'œuvre. Celles-ci m'avaient, je l'avoue, échappé en partie lors de mon premier contact avec elle. L'ouverture du film ne m'avait point frappé,

qui est magnifique. Ni ce sérieux fondamental d'un scénario
qui ne nous fait pas seulement sourire pour cette raison
qu'il est parfois transcrit un ton au-dessus, mais surtout
parce que la cruauté de certains détails et leur vérité seraient
insoutenables si nous ne trouvions le moyen de nous en
amuser. J'ai rapporté, naguère, ce mot de Bunuel à quel-
qu'un qui lui disait que l'on avait ri à certains moments
dramatiques de *El* :

    « Tant mieux ! Il est normal que les gens rient quand ils
ont honte de pleurer... »

*<br>* *

Nous sommes toujours en retard avec les œuvres de
Bunuel. Outre *Le Fleuve et la Mort,* il a tourné deux autres
films après *Robinson Crusoé* (1954) : *Les Hauts de Hurle-
vent* et *Le Tramway.* Tous films (à l'exception de *Robinson
Crusoé*) réalisés en moins d'un mois, ce qui serait un temps
record partout ailleurs qu'au Mexique où, précisait Bunuel
dans une interview publiée par les *Cahiers du Cinéma,*
l'habitude est d'aller plus vite encore : « Nous sommes quatre
à pouvoir nous accorder vingt-quatre ou vingt-cinq jours. »

Commandé à Bunuel par les Artistes associés, tourné en
Pathécolor et dialogué en langue anglaise, *Robinson Crusoé*
fut le seul de ses films pour lequel il disposa non seulement
de plus de temps mais de moyens financiers importants.
Au témoignage de l'auteur, l'œuvre a été amputée de quelques scènes « soi-disant surréalistes et, paraît-il, incompréhensibles ». Détestables mœurs du monde cinématographique où un réalisateur, quelque consacré soit-il, n'est
jamais assuré, lorsqu'il n'est pas son propre producteur,
de voir sa création respectée !

Cette pointe de surréalisme devait relever d'un piment
déconcertant mais léger, le classicisme d'une œuvre dont
la signification est trop généralement humaine pour que
Bunuel ait pu s'abandonner à ses habituelles hantises. Il
en demeure quelques traces encore admirables dans les rêves
et les hallucinations de Robinson, privé d'eau, de compagnon ou de femme. Ces désirs et ces manques sont évoqués
avec une discrétion à laquelle Bunuel ne nous avait pas
accoutumés. Il s'agit le plus souvent d'allusions rapides
dont la poésie agit avec une brève violence. Par exemple,
une robe entr'aperçue sur un mannequin qui lui donne une

forme vaguement humaine matérialise la femme d'une façon à la fois efficace et vaine.

Étant donné que nous avons affaire à Luis Bunuel, nous rencontrons aussi peu d'indications troubles que possible. Quelques rats, bien sûr ; des araignées, mais modestes ; un serpent presque rassurant ; le minimum de têtes coupées ou d'armes blanches teintées de sang ; une complaisance à peine indiquée pour la souffrance et pour la mort : plus que tout, l'amour de la vie et le respect de l'homme.

Affection du solitaire pour son chien, dignifiée encore par l'abandon où il se trouve sur son île déserte. Voix humaine caricaturée par le seul auditeur possible, un perroquet. Inanité des appels au secours face à l'océan sans réponse. Flambeau jeté à la mer comme une espérance qui s'éteint. Sérénité sans douceur de l'homme qui vieillit, toujours seul mais ayant accepté son destin.

Enfin cette amitié pour Vendredi, dont tient lieu d'abord de la part de l'homme blanc une condescendante supériorité, jusqu'à ce que se substituent à ces rapports paternalistes de maître et d'esclave une compréhension réciproque et un mutuel respect : si bien que, selon la belle formule de Bunuel, *ils se retrouvent fiers comme des hommes*.

Une scène que Daniel Defoe n'avait, selon toute probabilité, pas prévue apparaît audacieuse et digne du Bunuel peu conformiste d'autrefois. Celle où Robinson Crusoé essaye de convertir Vendredi au dieu des hommes blancs et se trouve sans réponse devant un argument très simple et très fort que, dans sa candeur, le « sauvage » lui oppose. Si bien que vacillent les fondations sur lesquelles le « civilisé » a établi non seulement le sentiment de son excellence, mais aussi celui de son confort moral. Cette scène du convertisseur déconverti est, sous son humour léger, traitée avec gravité. Elle va cruellement loin, sans pour autant priver de sa signification le cri : « J'appris à tout vaincre, sauf moi-même », ou enlever de sa beauté peut-être religieuse à la scène où Robinson appelle son âme *(Soul! Soul!)* devant les murs végétaux de sa prison tropicale. Selon notre incrédulité ou notre foi, nous serons accablés par l'absence évidente de cette âme ou rassurée par son indéfectible présence.

Le dernier regard que Robinson délivré pose sur les objets familiers de sa cabane, puis sur l'île déjà lointaine où il a vécu vingt-huit années, est presque aussi bouleversant que les détails de son amitié naissante puis vivace pour Vendredi. Jamais peut-être Luis Bunuel ne s'était révélé si grand poète avec aussi peu de moyens. Ce sont là quelques instants de pure beauté qui peuvent supporter la comparaison avec les moments privilégiés des plus grands romans.

Les interprètes, Dan O'Herlihy et James Fernandez, sont aussi beaux et bons qu'on les pouvait souhaiter. Notons enfin que la couleur est employée avec bonheur. Bunuel met à profit les teintes souvent artificielles des procédés actuels (le Pathécolor est un dérivé de l'Eastmancolor) pour donner à son film un style mi-estampe, mi-chromo qui s'accorde on ne peut mieux avec ce que nous imaginons dans notre monde d'aujourd'hui des îles désertes d'autrefois.

Une jeune femme, blonde et très raffinée, affrontée à la crasse d'une petite île méditerranéenne que le soleil exalte. Un âne brutalement frappé de coups de pied au ventre. Des gosses se livrant sur l'un d'entre eux au simulacre d'une exécution capitale, puis mimant à l'aide de grosses pierres lancées avec sauvagerie un bombardement aérien... Voilà, dès les premiers plans de *Cela s'appelle l'aurore*, la marque cruelle de Luis Bunuel.

Et voici son goût du sacrilège : l'image sanglante, photographiée je ne sais où pendant la guerre, d'un Christ hérissé comme autant de clous supplémentaires, d'isolateurs électriques. De façon plus banale, son anticléricalisme facile : un abbé de salon participant au luxe des riches et se révélant complice d'un patron abject. Voici enfin un policier courtois et cultivé, interprété avec talent par Julien Bertheau. On nous le présente lui aussi comme un être ignoble, encore qu'il ne se livre pas (à une seule douteuse exception près) aux excès, hélas ! habituels, de sa profession. Policier auquel le héros sympathique de l'action, un médecin incarné par Georges Marchal, refuse la main pour ceci seulement qu'il a fait son devoir en essayant d'arrêter un assassin, il est vrai à plus d'un titre excusable (mais cela regardait la justice) : aux yeux du docteur, à ceux de Luis Bunuel et de Jean Ferry (co-adaptateur et dialoguiste de *Cela s'appelle l'aurore*), il importe peu que le policier soit ou non un criminel : le crime, c'est la police.

Il reste de faire du policier un grand lecteur de Paul

Claudel et le tour est joué, la boucle fermée. Ce n'est pas le poète que nos surréalistes essayent de compromettre ainsi, mais le chrétien. Cela rappelle un peu trop ce procédé de basse police qu'est l'amalgame. Il est fâcheux, lorsque l'on fait un réquisitoire, d'user contre l'assassin des armes qu'on lui reproche justement.

Emmanuel Roblès, dont un roman est à l'origine du film, expliqua dans un article publié par les *Cahiers du Cinéma* que Bunuel aima dans son livre le personnage du médecin qui se révolte contre tous les tabous de la société actuelle. Révolte à bon compte, où l'on ne risque que les applaudissements des uns et le silence lâche des autres.

Nous lisons dans le même texte d'Emmanuel Roblès que Bunuel et lui ont consacré au scénario de *Cela s'appelle l'Aurore* « trois ou quatre séances de travail à partir du découpage de Pierre Laroche ». Ils auraient mieux fait d'en prévoir cinq ou six. Ou même dix.

Les auteurs ont accumulé les invraisemblances dans le traitement de leur histoire. Il est par exemple inconcevable que ce médecin, le seul de l'île et donné de surcroît comme particulièrement dévoué, découche chaque soir sans laisser d'adresse, fût-ce pour retrouver la belle Lucia Bosé. Et d'autant plus qu'il ne prévient même pas de son absence, son grand ami, le futur criminel, dont il sait pourtant la femme gravement malade.

Il est pareillement inadmissible que le beau-père du docteur, qui vient pour la première fois et dans l'île et dans la maison de son gendre, soit étonné qu'on ne lui donne pas la chambre d'ami dont on ne voit pas comment il pouvait la situer, même s'il en connaissait l'existence : pourtant, avec le flair d'un chien (policier, naturellement), il va tout droit à la porte fermée à clef derrière laquelle se trouve le criminel à qui le médecin a donné asile.

Et quelle façon désinvolte de se débarrasser d'une épouse dont tout ce que nous savons excluait qu'elle renonce à son mari. Mais il fallait que l'histoire s'achève bien (je veux dire par le mariage de Georges Marchal et de Lucia Bosé) et il était temps de conclure.

Quant à la mise en scène, une défaillance au moins : la traversée par une malade, d'une fête foraine où l'application des figurants est aussi sensible que le décor est maladroit. Pour le reste, le talent de Luis Bunuel, sauvant le scénario, rétablit l'équilibre. Quelques plans d'une poésie insolite.

Dans le jeu des acteurs et la façon dont ils ont été dirigés, une simplicité, un naturel qui nous font oublier que nous assistons à un spectacle. Ce ton est d'une qualité très rare au cinéma.

Le film entier est voué aux chats. Ceux-ci apparaissent dès les premiers plans et ne cessent, sous des formes diverses, de traverser l'écran et de s'y faire entendre : hurlements rauques ou tendres miaulements, ces bêtes étant tour à tour présentées comme le symbole d'une malédiction et des allégories de l'espoir. A moins qu'il ne s'agisse d'une cruelle mais salubre révolte opposée à la douce mais veule quiétude des bons sentiments ? Seul Bunuel doit pouvoir se retrouver dans les arcanes de cette mythologie personnelle.

Il faut enfin signaler ce prodige : en dehors du Claudel déjà cité (édition de la Pléiade), nous voyons un peu partout des livres sur les tables de chevet. Des livres ! Par excellence l'accessoire introuvable dans tous les studios parce qu'aucun metteur en scène, jamais, n'en réclame. Pour ces livres, et pour ces personnages qui les lisent, je me sens soudain disposé à tout pardonner à Luis Bunuel.

*
* *

Comme on demandait un jour à Luis Bunuel s'il avait réintroduit à dessein certains thèmes de ses films surréalistes dans le scénario du bourgeois *El*, il répondit :

— « Consciemment, j'ai voulu faire le film de l'Amour et de la Jalousie. Mais je reconnais que l'on est toujours attiré par les mêmes inspirations, par les mêmes rêves et que j'ai pu mettre dans *El* des choses qui ressemblent à *L'Age d'or*. »

Sa dernière œuvre, *La Mort en ce jardin* (1956), a beau avoir été inspirée par un roman de José-André Lacour, Raymond Queneau et Gabriel Arout ont beau en avoir écrit les dialogues, la marque de Bunuel s'y retrouve sans interruption. Empreintes d'un fauve, surveillé de près et ne pouvant donner sa mesure, mais qui demeure cruel.

La violence du scénario est anodine comparée à celle d'images souvent moins brutales qu'énigmatiques. Ce serpent écorché auquel la vermine redonne l'apparence de la vie est un rappel de la main mangée de fourmis du *Chien andalou*. Cette fille assommée et qui reste passive sous les

*La mort en ce jardin.* [Cl. Radio-Cinéma.]

gifles a son équivalent en maints endroits sado-masochistes de l'œuvre bunuelienne. Mais pour ces quelques plans forcenés, la virulence de Bunuel se tamise plus souvent de lumières rassurantes. L'auteur de *La Mort en ce jardin* fait en douceur son travail de destruction. Il procède à pas de loup et n'en est que plus inquiétant.

Démarche particulièrement sensible dès qu'il s'agit pour Luis Bunuel d'exprimer son anticléricalisme et son antichristianisme fondamentaux. Une scène gênante du film est à peine camouflée. Celle où un prisonnier, menottes aux poignets, traverse une église pendant la consécration : ses gardes ont une manière de l'inviter au recueillement qui

manque de charité. Mais les coups donnés à un homme enchaîné nous font moins mal que cette juxtaposition volontaire du saint sacrifice et de l'humiliation d'un homme
que ses bourreaux laissent tranquille le temps d'un agenouil-
lement et d'une brève prière. Bunuel est espagnol. Il sait
ce dont il parle. Seule la vérité est scandaleuse.

Cette nocivité se mesure mieux aux images et aux situations plus discrètes dont l'auteur jalonne son film. Perdus
dans la forêt vierge des frontières du Brésil, ses héros se
servent d'un calice pour boire. Le missionnaire, leur compagnon d'infortune, qui leur a prêté le vase sacré, déchire une
page de son bréviaire pour allumer le feu. D'où vient que ces
gestes simples, qu'aucun sous-entendu décelable ne souligne, apparaissent sacrilèges ?

Il y aurait beaucoup à dire sur ce prêtre dont un résumé
du film assure qu'il est assez borné. Il suffira d'indiquer que
chaque fois qu'en toute bonne foi, semble-t-il, il se porte
garant pour un homme, celui-ci trahit la confiance qu'on
vient de lui accorder. Ce qui n'empêche pas Bunuel d'auto-
riser son missionnaire à tenir des propos orthodoxes. Par
exemple : « Dieu a seul à savoir qui il veut punir et qui il
veut épargner. »

Aussi bien Bunuel, à défaut d'une métaphysique, est-
il en quête d'un humanisme. L'un de ses personnages prononce cette phrase qui est celle de tous les héros modernes,
de Dostoïevsky à Camus, en passant par Kafka, qui fut le
premier à la séculariser : « On est tous coupables. On a
tous quelque chose à se reprocher. » Ces hommes et ces
femmes, si différents et qui se haïssent, trouvent dans leur
épreuve le secret d'une fraternité ébauchée : « On n'est plus
pareils depuis qu'on marche... »

Cette marche dans la jungle n'est pas seulement impressionnante. Elle atteint esthétiquement à la beauté des
œuvres accomplies. Ruisselante de pluie, avec ses lianes,
ses palmes, ses fleurs étranges noyées dans une lumière
glauque, elle demeure inchangée pour les fugitifs qui s'y
fraient un chemin à coups de machette. Le poète Bunuel
révèle une fois de plus la puissance insolite de son inspiration.
Corps modelés à vif sous les linges mouillés. Visages purifiés
à force d'avoir souffert. Présence hallucinante de Paris un
instant recréé par une carte postale (Mais en revoici les
morceaux : depuis le matin, les naufragés de la forêt ont
tourné en rond !). Chevelure féminine accrochée en éventail

dans les branchages. Épave d'un Constellation tout à coup découverte...

C'est le sommet du film. Il aura fallu cinquante morts, dont on nous fait grâce mais que nous savons là, pour sauver nos héros affamés (du moins peuvent-ils désormais l'espérer). Une aile métallique se dresse. La cellule d'un moteur écrase des feuillages luisants. Parmi les débris de l'avion disloqué, aussi étrange que la machine à coudre sur une table de dissection chantée par les surréalistes, voici, luxueux et superbes, des bagages au milieu de la forêt vierge. Simone Signoret, un instant plus tôt habillée de loques, apparaît couverte de diamants dans une robe de bal.

Cependant un oiseau inconnu hulule à la mort. Et la mort vient, sauf pour un des hommes. Sauf pour la petite sourde-muette dont un cri, presque une parole et comme un mot que l'amour aurait arraché à son infirmité, nous avaient un peu plus tôt bouleversés.

Federico Fellini. [Cl. G. B. Poletto.]

## III

## FEDERICO FELLINI

On reconnaîtra dans *Feux du music-hall*, œuvre commune de Lattuada et de Fellini, une Italie dont la banalité souvent même la laideur sont aux antipodes non seulement de sa légende, mais aussi de sa réalité. Certes, ces paysages anonymes, ces mornes banlieues, ces routes et ces rues défigurées par les traces industrieuses de l'homme et marquées de misère sont, hélas ! de partout, de l'Italie elle-même, de l'Italie surtout. Ce pays étant néanmoins ce qu'il est, il semble qu'il faille se donner beaucoup de mal pour en offrir les désespérantes images qu'en proposent sans la moindre rémission *Luci del Varieta* comme, plus tard, *La Strada*.

Tout se passe comme si, en leur réaction contre le pittoresque touristique, aux rassurantes et trompeuses joliesses, les cinéastes de la jeune école italienne dépassaient leur but dans la recherche de la vérité : en fuyant une beauté menteuse ils trouvent une laideur qui ne l'est peut-être pas moins, et ils s'y complaisent.

Laideur qui est celle des visages presque autant que des paysages. La troupe lamentable de music-hall décrite avec une insistante cruauté par Lattuada et Fellini, est faite de filles disgraciées, de vieillards, d'hommes laids. Giulietta Masina elle-même a dû banaliser son curieux mais attachant petit masque et accentuer ses défauts, à l'exclusion du charme qui les transfigure. Un seul joli visage, celui de Carla del Poggio : le moins conscient, sinon le plus méchant, le plus superficiel de tous les personnages du film.

C'est ici que nous touchons le secret de cette œuvre déroutante, qui, après nous avoir séduits par le brillant de son ouverture, nous paraît ne pas tenir ses promesses, semble un peu monotone et longue, jusqu'à ce que nous soient révélées de façon définitive non seulement sa poésie, mais sa très particulière qualité humaine.

Enlaidir, soit, mais jamais avilir. Le comédien raté qu'interprète Peppino de Filippo est physiquement déplaisant. Il est tellement pénible avec son béret, sa triste figure à petite moustache noire, sa vantardise et son accablement que nous les suivons non sans lassitude, lui et ses lamentables compagnons de tournée. Mais il advient que l'amour transforme en une sorte de beauté la fatigue des routes et l'usure des jours. Non pas n'importe quel amour : le « pur amour » qui, chez un tel homme soudain découvert, ne peut être que chaste s'il n'est point partagé. La jeune danseuse incarnée par Carla del Poggio est toute prête à se donner à lui s'il le veut, mais il ne le veut pas : le corps ne lui suffit pas s'il s'offre seul.

Nous ne sommes pas habitués, au cinéma, à ce genre de pudeurs. Plus d'un spectateur jugera que cet homme déchu apporte une preuve définitive de son ratage et de l'impossibilité où il est de réussir, en se détournant d'une belle fille qui ne demande qu'à lui céder. Qu'en tentant de la protéger contre sa jeunesse et contre la brutalité des autres hommes il atteint dans le don quichottisme le comble du ridicule.

Mais d'autres, tout aussi nombreux, sans doute, seront sensibles à la noblesse de ce quinquagénaire qu'ils avaient trop vite jugé et condamné sur les apparences de sa médiocrité. Et ils admireront les réalisateurs, ils admireront l'acteur qui, dans un style rappelant celui de Chaplin (dénominateur commun de Lattuada et de Fellini), ont su faire de la toile du cinéma un écran radioscopique où, toute chair évanouie, c'est l'âme qui apparaît.

Giulietta Masina, je veux dire son personnage de ballerine déjà usée mais d'une si grande fraîcheur de sentiment, aimait Peppino de Filippo, entendez ce vieux clown qui ne fait plus rire qu'à la ville. Elle confirme dans ce rôle ancien et sacrifié l'admirable actrice qu'elle est. Rarement héroïne en fit plus entendre en parlant moins. Peu importe ce qu'elle dit : ce sont ses yeux, c'est la grimace sans cesse esquissée de sa bouche malheureuse, ce sont de petits gestes à peine indiqués mais combien signifiants qui hurlent sourdement pour elle sa détresse.

Ainsi Lattuada et Fellini chantent-ils la pureté dans un univers sordide, ainsi glorifient-ils l'amour, sa noblesse.

*Feux du Music-Hall.* [Cl. Civirani.]

ses sacrifices, sa grandeur. Voici pour la première fois les longues promenades felliniennes à plusieurs dans les rues nocturnes, avec la détresse, la tendresse d'une unique trompette ; avec ses rencontres absurdes au coin des fontaines ; avec les folles espérances de la nuit et la nausée de l'aube.

\*\*

Œuvre moins accomplie que *The Wild One*, *La Strada* de Federico Fellini peut pour le meilleur en être rapprochée. Il y a d'abord une indéniable parenté entre l'enterré vif dont Lazlo Benedek nous faisait entendre les appels au secours assourdis et les héros de *La Strada*. Eux aussi sont pratiquement mis dans l'impuissance de communiquer. Vocabulaire réduit, univers intérieur en friche, et dont pas une seule région n'a été prospectée : les sentiments les plus élémentaires demeurent obscurs à ces êtres de pures sensations.

Cette opacité apparaît pourtant imbibée là encore d'une sourde luminosité qui pénètre juste assez la matière pour être décelée : cette obscure lumière n'éclaire pas plus qu'elle ne réchauffe. Giuletta Massina (épouse de Federico Fellini et qui tourna déjà assez de films pour que nous puissions admirer ici la complexité de son personnage en apparence simple, *donné* et non fabriqué) est l'équivalent féminin du Marlon Brando de *The Wild One* et de *On the Waterfront*. A ceci près qu'au lieu de cet animal humain redoutable nous avons une petite bête, elle aussi sauvage, mais inoffensive, poétique et douce. Son admirable, quoique à la longue monotone création, allie un ridicule attendrissant à une laideur naïve d'où naît une peu contestable et insolite beauté. C'est le visage de Laurel sur une sorte de Chaplin femelle. Comme sa trompette, son visage n'a que trois notes, mais ses expressions toujours les mêmes nous enchantent.

La musique, qui est utilisée avec art, évoque elle aussi Chaplin, mais sans doute en raison d'une semblable inspiration dans *Limelight* comme dans *La Strada*. Évoquer le monde du cirque, c'est aussitôt se faire un complice de notre sensibilité, mais c'est en même temps retrouver bien des poncifs, dont il est vrai nous ne nous lassons pas. Là surtout apparaît le talent de Federico Fellini. Avec un sujet usé et sans toujours rester aussi dépouillé qu'il aurait été souhaitable, il a fait un film neuf.

Ces prisonniers à vie communiquent malgré tout tant bien que mal. Fellini nous révèle les pensées de ceux qui ne savent pas qu'ils pensent. Il nous fait presque entendre des paroles qui n'ont pourtant pas été prononcées, qui ont été à peine conçues. La plus belle scène du film est un échange de sourires et de regards, de tristesses et de détresses à travers la vitre baissée d'une automobile. Point de boussole. Le nord de l'amour reste introuvable. La fille-clown et un funambule frôlent pourtant le salut en une admirable séquence (assez proche de la scène d'amour de *Sur les quais* dont c'était le seul très beau moment). Mon ami Pierre Kast appelait joliment devant moi ces instants privilégiés de *La Strada* : une « Bérénice des abîmes ».

On regrettera seulement chez Fellini — dont ce n'est pas encore le chef-d'œuvre, soyons-en assurés — un certain

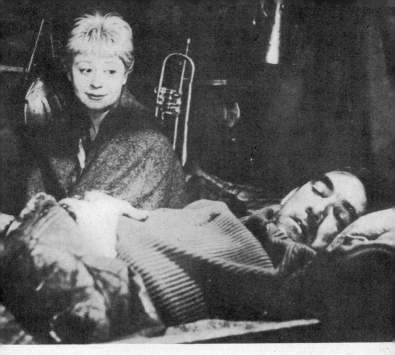

*La Strada.* [Cl. Radio-Cinéma.]

abandon à une littérature facile, des complaisances, une insuffisante renonciation à l'effet. Mais cette orchestration parfois abusive n'étouffe pas la poignante mélodie de l'œuvre. C'est ce qui demeure du cinéma d'hier dans cette préfiguration du cinéma de demain.

\*
\* \*

Les artistes, en quelque art que ce soit, sont toujours fidèles aux mêmes thèmes. Federico Fellini reprend et développe dans *Il Bidone* ce qu'avaient déjà exprimé ses œuvres précédentes, *I Vitelloni* et *La Strada*. Chez des garçons un peu plus âgés, ce sont de nouveau la paresse et la veulerie du premier de ces films. Ce sont aussi la vacuité intellectuelle et la misère morale du second. Mais Fellini nous entraîne plus loin encore dans l'abjection. Il nous fait toucher le fond de l'ignominie. Ce qui rend plus surprenante et plus belle que dans *La Strada* cette obscure nostalgie et cette tâtonnante découverte de la noblesse par le plus avili de ses personnages.

J'ai entendu reprocher à *Il Bidone* un déconcertant changement de ton : le film commencerait sur le mode bouffon pour s'achever en tragédie. J'avoue ne pas comprendre cette objection. Nous sourions d'abord, bien sûr. Ce qu'il entre de rapacité chez les premières victimes des vols nous incite à quelque désinvolture à leur égard. Puis, le méfait une fois accompli, nous éprouvons un sentiment de gêne. Avec la seconde escroquerie, l'odieux l'emporte définitivement sur le comique.

L'astuce du procédé employé par les filous ne nous distrait pas plus des quelques secondes indispensables à la prise de conscience d'une fondamentale infamie. Il n'est rien en effet de plus indigne que ce genre d'indélicatesses qui non seulement font appel à la confiance de ceux que l'on dupe, mais encore et surtout qui frappent systématiquement les humbles et les pauvres.

Nous sommes donc presque immédiatement en plein tragique. Les temps morts de l'action, je veux dire la façon dont les héros de Fellini emploient leurs jours et leurs nuits entre deux escroqueries, accusent cette impression. Le drame qui apparaît alors est celui de l'existence humaine confrontée de plein fouet à son néant. Bars, boîtes de nuit, promenades sans but dans la solitude nocturne des villes le long des maisons mortes, aubes sans tendresse. Parfois la sérénade d'un musicien solitaire et titubant qui rentre chez lui avec son violon. Ou un absurde drapeau brandi en tête d'un invisible défilé par un fêtard qui rêve en marchant. Poésie habituelle à Fellini et que l'on retrouve inchangée, parfois même exprimée avec des images semblables, dans chacun de ses films. Blessées à mort, ces âmes vivent encore et elles souffrent dans le petit matin...

L'un au moins des tristes personnages de Fellini sera cette fois-ci sauvé. Le plus jeune. Et sauvé par l'amour. Mais Augusto, celui auquel nous nous sommes le plus attaché (sans doute parce que l'acteur américain Broderick Crawford lui prête son rude et doux visage ravagé), sera perdu.

*Il Bidone.* [Cl. G. B. Poletto.]

Et perdu comme les héros du cinéma ne le seraient presque jamais s'il n'y avait Federico Fellini (et Graham Greene) : métaphysiquement et non pas seulement physiquement.

L'auteur de *Il Bidone* déclara un jour qu'il avait « le singulier travers de croire en l'existence de Dieu ». Pour lui, l'âme est ce qui compte le plus. Cette foi se lit en clair dans bien des images de ses œuvres, de *Lo Sceicco Bianco* à *I Vitelloni*. Elle donnait à *La Strada* sa noblesse. Mais il y avait dans ce dernier film une certaine facilité, des complaisances qui ont disparu de *Il Bidone*, œuvre autrement rigoureuse et pure : plus accomplie encore parce que ne faisant aucune concession (sauf peut-être dans les tout derniers plans) à une certaine conception artificielle de la beauté cinématographique.

Un déguisement ecclésiastique est nécessaire aux personnages de *Il Bidone* pour mener à bien certaines de leurs escroqueries. Le pittoresque de ces travestis cesse bientôt de nous amuser. Mais point, comme on pourrait croire, pour nous sembler gênant. Ce qui aurait pu si facilement tomber dans la profanation reste ici, je ne dirai pas de bon ton (il s'agit bien de cela dans l'univers de Fellini), mais accordé au sacré. Federico Fellini a une facon à lui (très émouvante) de contredire au proverbe selon lequel l'habit ne fait pas le moine. Vêtu en évêque, le voleur trouve une dignité liée à son costume qui révèle bientôt en lui une plus profonde grandeur mystérieusement sauvegardée. Obligé à parler en prélat et en prêtre à une jeune infirme, il ne joue plus un rôle : il devient réellement pour quelques minutes ce qu'il est aux yeux de cette enfant croyante.

C'est là une séquence d'une force si convaincante que nous nous refusons à condamner définitivement ce personnage, comme semble l'avoir fait Fellini, qui avoua avoir pensé au mauvais larron en le composant avec ses camarades Ennio Flaiano et Tullio Pinelli (co-auteurs du scénario). Nul ne peut préjuger la bonté de Dieu. Je crois que si le salut existe Augusto est sauvé, malgré sa probable, mais non pas certaine, mauvaise action finale.

Abel Gance. [Photo Serge Beauvarlet.]

IV

ABEL GANCE

L'un des cris anciens d'Abel Gance, « le temps de l'image est venu », reste plus que jamais d'actualité, encore que le cinéma d'aujourd'hui semble de moins en moins orienté dans cette direction qui est pourtant celle de son essentielle vocation. Il y a, dans *Un grand amour de Beethoven* (1936), un plan que nous retrouvons si pareil dans la version 1927 de *J'accuse*, qu'il doit s'agir, ici et là, de la même image : celle d'un mince arbre aux branches noires que la tempête agite. Son immédiate beauté est comme un double symbole, et du génie d'Abel Gance et de celui du cinématographe.

Déchaînement des éléments de la nature, orages du destin, houles furieuses des foules : tels sont les thèmes fondamentaux de l'œuvre de Gance. On les retrouve sous des formes voisines dans son *Napoléon* comme dans son *Beethoven*, dans son *J'accuse* comme dans sa *Fin du monde*. Ce sont les paroxysmes d'une inspiration où le lyrisme le plus pur se mêle si intimement à la grandiloquence et au mauvais goût que ceux-ci sont comme changés de nature. Transfigurés, ils participent avec le meilleur à la beauté de l'ensemble. Sans eux, l'œuvre ne serait assurément ni aussi belle ni aussi poignante. Ce sont les mystères de la création artistique.

Il fut de bon ton, à leur époque, de se moquer des boursouflures de *La Fin du monde*, d'*Un grand amour de Beethoven*, de *J'accuse*. Revues aujourd'hui, ces œuvres sont sauvées dans leurs parties les plus contestables par le jaillissement d'une création qu'il faut prendre dans sa totalité sous peine d'en anéantir les plus belles richesses. Dans *La Roue*, une balançoire apparaissait ornée de liserons en fleur. Mais,

comme l'écrivit très justement Georges Sadoul : « Les liserons
de l'escarpolette ont pu faire sourire les esprits forts de 1923,
mais ils ont aujourd'hui le dessin naïf d'une carte postale
ancienne ou d'un meuble rustique. » De même pour les
passages les plus littéraires du *Napoléon*. Par exemple, la
voile tricolore que hisse Bonaparte en quittant la Corse sur
une barque pourrait être facilement moquée. Mais nous
n'éprouvons que l'envie d'admirer. Seuls les grands lyriques
peuvent se permettre de ces audaces. Leur génie est plus
fort que le ridicule.

Jamais caméra ne fut plus libre que celle de Gance. Au
point d'être bondissante. De se faire, comme on sait, boule
de neige ou n'importe quoi d'ailé. Non seulement l'auteur
de *Napoléon* attacha son appareil sur un cheval au galop,
mais encore il le précipita dans la mer, du haut des falaises
de Corse. Il paraît même que pour certaines séquences
du siège de Toulon, Abel Gance utilisa des caméras minia-
tures enfermées dans des ballons de football promus au rôle
de boulets. Aussi bien les procédés importent peu. Seuls
comptent les résultats qui sont presque toujours impres-
sionnants.

Et c'est ici que, par l'entremise de l'inspiration démesurée
de ce visionnaire, nous en arrivons au secret même du cinématographe et à son beau mystère. Le contrepoint, dans
*Napoléon*, de la tempête qu'affronte Bonaparte et de celle
qui agite la Convention le 9 thermidor, nous donne une idée
de ce que peut être le cinéma lorsque l'imagination d'un
artiste sans préjugé utilise à ses fins (qui peuvent être, elles
aussi, sans mesure) ses pouvoirs gigantesques. On peut ne
pas aimer les outrances ou la superbe naïveté de Gance.
Mais il est, à ce jour, un des rares créateurs complets du cinéma. Chacun est libre de s'intéresser ou non à ce que Gance
a à nous dire. Il reste, et chacun sera d'accord sur ce point,
qu'il nous le dit sans concession aucune et en employant au
maximum les moyens encore presque tous inutilisés de la
caméra. Tout est contestable chez Abel Gance, sauf l'essentiel : la perfection, la richesse et la beauté du moindre de
ses cadrages.

*
* *

En 1934, Abel Gance réduisit des deux tiers son *Napoléon
Bonaparte* de 1926, sonorisa les séquences conservées et

tourna quelques nouvelles scènes d'introduction ou de liaison. Telle qu'est cette version mutilée et restaurée de façon abusive, on la voit tout de même avec d'autant plus de profit que lui a été ajoutée, projetée sur trois écrans, une campagne d'Italie qui est à peine plus fameuse dans l'histoire de France que dans celle du cinéma.

Cette présentation sur triptyque devait être une des principales attractions du festival de Sao Paulo (1954). Abel Gance, qui avait fait le voyage tout exprès, avait mis un grand espoir dans cette séance. Ainsi rappellerait-il aux professionnels internationaux du film, dont certains avaient peut-être un peu trop tendance à l'oublier, que la France avait été grâce à lui en avance de trente années, tant pour cet écran large redécouvert aux États-Unis avec la publicité que l'on sait qu'en ce qui concerne le son stéréophonique.

Mais il advint comme par hasard que la salle (contrôlée ainsi qu'un grand nombre d'autres au Brésil par une compagnie américaine) se trouva au dernier moment indisponible. Je me souviens de la déception d'Abel Gance, qui ne s'était pas attendu à ce coup. A la place du programme annoncé, furent donc projetés au dernier moment et sans accompagnement de musique quelques morceaux bruts du *Napoléon* original. Ces documents de cinémathèque avaient l'énigmatique et simple beauté des vestiges. Jamais le génie de Gance n'éclata mieux que dans ces quelques images usées et pourtant indestructibles, seules survivantes, dans cette copie, des trente-deux bobines originelles. Je n'oublierai jamais la stupeur du public ni la joie et la fierté que nous eûmes à remercier Gance, enfin consolé de sa désillusion.

Certains des plus beaux passages du *Napoléon* manquent dans la version sonore de 1934, notamment le prologue de la jeunesse de Bonaparte, tourné à Brienne même. D'autres, qui restent superbes, sont abîmés par une sonorisation trop précise. Le rythme des paroles, des cris et des chants *suggéré* dans le montage muet est détruit ici par la superposition exacte et pourtant trompeuse des sons effectifs. C'est l'intrusion du réalisme dans l'épopée mythique. Écrivant et tournant pour le cinéma parlant, Abel Gance aurait donné un autre *tempo* à ces scènes, qui apparaissent maintenant déséquilibrées.

L'adjonction de la parole fait de surcroît tomber dans un

ridicule trop souvent indéniable, le jeu outré d'Albert Dieu-
donné. L'interprétation de cet acteur, à qui revenait le
rôle, il est vrai écrasant, d'incarner Bonaparte tel que Gance
le voyait, est en tout état de cause ce qui a le plus vieilli
dans le film.

Nul doute que la direction de Gance ne soit ici en partie
responsable. Mais c'est aussi à elle que nous devons ces
nombreuses images *inspirées* qui font du *Napoléon* l'un des
moins contestables chefs-d'œuvre du film mondial. Abel
Gance est, pour une part et toutes proportions gardées,
le Victor Hugo du cinéma. De telles œuvres charrient le
meilleur et le pire. Nous devons les prendre telles qu'elles
sont.

Ce qui subsiste, dans cette copie, du siège et de la prise de
Toulon est continûment admirable. Encore que ces images,
qui prêtaient pourtant à une belle sonorisation, aient été
on ne peut plus mal orchestrées par les bruiteurs de 1934,
c'est avec la même joie des yeux, du cœur et de l'esprit que
nous retrouvons cette grêle sonnant la charge sur les
tambours abandonnés et ce long nocturne d'orage et de
guerre.

Mais le plus beau demeure la double tempête, déjà citée,
qu'affronte sur un petit bateau Bonaparte fuyant la Corse et
celle qui, « à la même heure », déferlait sur la Convention,
où les Robespierre était mis en accusation. Gance a songé
ici à Hugo, précisément : « Être un membre de la Convention,
c'était être une vague de l'Océan... » *(Quatrevingt-treize.)*
Cette séquence, où les caméras oscillent au gré des lames
immenses de la mer et de l'Histoire, fut primitivement tournée pour les trois écrans. Mais Gance détruisit ces images
voici quelques années, au plus sombre de sa solitude et de
son découragement. Les seuls triptyques subsistants sont
donc ceux de l'entrée en Italie : ce grand poète lyrique,
désespéré parce que renié, ne les avait heureusement pas sous
la main lors de cette crise de dépression dont nous tous,
qui touchons de près ou de loin à la profession cinématographique, devrions avoir honte et nous rendre personnellement
responsables.

Gance préfigure le cinéma de demain. Ses premières réalisations, déjà convaincantes, de l'écran variable ou du son
stéréophonique ne sont que des moyens, parmi beaucoup
d'autres, employés par ce visionnaire acharné à matérialiser
ses rêves sans les déspiritualiser. Peu nous importent les

conceptions parfois délirantes qu'il se fait de la Révolution ou de Napoléon, car de cette fièvre un grand artiste a su se rendre maître. Il a su nous l'imposer, à nous qui étions bien trop sages, même après avoir lu Michelet, pour oser de tels songes. Et, le temps d'un film dont nous aimerions pouvoir admirer la version intégrale et originale, il a fait de chacun de nous des demi-dieux et des héros.

Alfred Hitchcock. [Cl. Cahiers du Cinéma.]

# V

## ALFRED HITCHCOCK

Une partie de la critique française entre en transes au seul nom d'Alfred Hitchcock. Déchirant secret, prolongements d'ordre métaphysique, univers à la fois esthétique et moral ; Dostoïevsky, Faulkner : aucune formule n'est trop grave, aucun nom trop grand, que l'on prononce à son sujet. Dans l'exégèse de cette œuvre paraît-il inépuisable, Maurice Schérer, à *travelling*, *cadrage*, *objectif* et à tout l'affreux jargon des studios, substitue, nous dit-il, les termes plus nobles d'âme, de Dieu, de Diable, d'inquiétude ou de péché.

L'ennui est qu'Alfred Hitchcock est légèrement dépassé par ses admirateurs. Il se rend un peu aux *Cahiers du Cinéma* comme on va chez le juge d'instruction. On lui arrache des confirmations comme des aveux à un innocent. Son message ? Mais pourquoi pas... N'est-ce pas qu'il préfère *I confess* à *Lady Vanishes* ? Oui, bien sûr... « C'est très important pour nous », répond l'inquisiteur Truffaut. Un frisson passe dans le dos du prévenu Hitchcock. Il a de plus en plus l'air traqué du monsieur qui ne sait pas ce qu'on attend de lui.

L'accusation étant malgré tout flatteuse, Hitchcock finit par avouer tout ce que l'on veut. Mais nous en tenons-nous aux déclarations spontanées, aux affirmations qui n'ont pas été sollicitées, si ce n'est même arrachées, que nous avons en toute franchise et simplicité : « Je m'intéresse à priori fort peu à l'histoire que je raconte, mais uniquement au moyen de la raconter, c'est cela seul qui m'importe. » Quelques critiques des *Cahiers du Cinéma* ont relativement gardé la tête froide, André Bazin par exemple. Le grand homme ayant reconnu que le « pur Hitchcock » réside en un certain accord entre le drame et la comédie, Bazin, tout heureux de cette modeste aubaine, commente : « Bien que cette précision se rapporte davantage encore à une manière de concevoir l'histoire qu'à un contenu proprement dit, il ne s'agit tout de même plus de simples problèmes formels. »

J'avouerai que Hitchcock ne me paraît pas moins important parce qu'il est manifestement beaucoup plus technicien que métaphysicien. En l'état encore balbutiant du cinéma, les questions de langage demeurent essentielles. Nulle arrière-pensée éthique dans *Rear Window* (*Fenêtre sur cour*, 1955). Mais le mélange de terreur de l'humour propre à ce maître du suspense. Sans vouloir élever aussi peu que ce soit le débat, Hitchcock déclarait à ce sujet : « Les spectatrices américaines crient et ne peuvent supporter l'angoisse de ce film... Tous les spectateurs crient, et cela me rend très heureux. J'avoue que de les entendre crier, je trouve cela comique... »

Apparaît surtout remarquable, dans *Rear Window*, une mise en scène d'autant plus brillante qu'étaient plus réduites les possibilités de déplacement laissées à la caméra. L'enquête de ce *thriller* est de bout en bout menée par un journaliste photographe à la jambe cassée, depuis la chambre torride où il est immobilisé. L'appareil ne nous découvre que ce que James Stewart lui-même peut voir de son fauteuil : les appartements de la maison d'en face ; la cour et ses jardinets fleuris ; entre les immeubles, quelques mètres de trottoir avec un coin de café. Le décor a été conçu pour élargir au maximum le champ de notre vision sans que Hitchcock triche jamais avec la règle de claustration qu'il s'est fixée.

Le recours par James Stewart à une paire de jumelles ou au télé-objectif permet quelques changements de plans. Lorsque nous voyons ainsi autrement que de loin ce qui se passe dans la maison voisine — où se noue le drame —, les scènes sont muettes, accompagnées par la seule rumeur, diurne ou nocturne, de la ville. Cette coexistence du silence et du bruit est d'un effet surprenant, ce que nous entendons nous étant indifférent, mais contribuant à créer l'atmosphère.

Les briques roses de ces maisons proprettes nous rappellent certains tableaux flamands. Voire, ces colonnes aussi charmantes qu'inattendues, quelque Carpaccio dépaysé. Pour l'essentiel, Hitchcock a toutefois utilisé, de son propre aveu, la couleur à des fins dramatiques plus que picturales. Dans

*Fenêtre sur cour.* [Cl. Cahiers du Cinéma.]

la chambre soudain ténébreuse du présumé criminel brille
le point rougeoyant de sa cigarette, et nos cœurs se serrent
un peu plus.

Ce qui passe dans la petite entaille claire de la rue, ce qui se
passe aux divers étages de l'immeuble voisin est tour à tour
étranger à l'action et mêlé d'aussi près que possible à ses
développements. Hitchcock accumule les petits détails
poétiques et vrais. Ces choses vues par les croisées ouvertes
sont ravissantes : un enfant que l'on lave, une femme qui se
coiffe, un couplé qui s'embrasse. Nous ne cessons d'être
attendris que pour connaître de nouveau l'attente, la surprise,
la peur.

S'il fallait absolument chercher un thème latent à *Rear
Window*, ce serait celui du voyeur. Quelques phrases du dia-
logue, une certaine crispation du visage fasciné de James
Stewart, cette brève panique de ses traits faisant ressortir

par contraste la saine curiosité de la belle Grace Kelly,
d'autres indications encore donneraient à penser que
Hitchcock a esquissé dans toute la mesure du permis cette
part délicate de son sujet.

\* \*
\*

Se déroulant entièrement à bord d'un canot de sauve-
tage, *Lifeboat*, outre la personnalité de son auteur et l'audace
de sa réalisation, devait son prestige, lorsqu'il parut sur nos
écrans, au fait qu'à peu près personne ne l'avait vu en
France.

Produit en 1943, le film accuse son âge. Le ton de la propa-
gande y est gênant. Parmi les naufragés recueillis sur le
canot se trouve un des passagers du sous-marin torpilleur.
Il s'agit de prouver aux spectateurs américains que cet Allemand n'est pas tout à fait un homme, qu'on ne peut croire
ce qu'il dit, ni lui faire confiance alors même qu'il semble le
plus sincère.

Entreprise difficile sans cesse renouvelée aux États-
Unis à cette époque pour justifier l'effort de guerre. L'un des
rescapés américains est d'origine allemande. S'il se fait
appeler Smith, son vrai nom est Schmidt. Il est là pour représenter les millions de citoyens américains que leur extrac-
tion germanique sensibilisait de façon douloureuse aux événements en cours.

Aussi bien, la démonstration de la nocivité congénitale
du peuple allemand est-elle conduite avec subtilité. Certes,
elle nous paraît grossière. C'est que des années ont passé.
Et sans doute aussi que des arguments différents auraient
été nécessaires, même à l'époque, pour les Français que nous
sommes. On n'aurait pas eu besoin chez nous de forcer la
note pour nous convaincre. La vérité nue suffisait. Il est
significatif de remarquer quelle admiration plus ou moins
avouée le scénario de *Lifeboat* implique au départ quant à
la race germanique.

Seul à bord, l'Allemand révèle une science et des qualités
permettant de faire face aux circonstances. Non seulement
il n'y a que lui pour posséder l'art de la navigation, si bien
que les autres naufragés sont obligés de lui confier le com-
mandement, mais encore il se trouve qu'il est chirurgien,
ce qui tombe à propos lorsque l'amputation d'un des passa-

gers devient nécessaire. Il donne d'autre part des preuves d'intelligence et de volonté. Accessoirement il a sur ses compagnons l'avantage de connaître plusieurs langues. Non seulement l'anglais, mais, prodige dont chacun s'émerveille, le français.

Il n'est pas inutile de rappeler en passant que l'auteur du scénario de *Lifeboat*, John Steinbeck, est partiellement d'origine allemande. Le grand écrivain semble avoir particulièrement soigné l'hommage rendu à ses ancêtres les Germains. Mais John Steinbeck n'en est pas moins un bon citoyen américain. Mais l'Amérique est en guerre contre le Reich. Mais l'Allemagne est devenue nazie. D'où la seconde version d'un portrait qui dut réclamer de son auteur un courage cornélien.

Les cinéastes commencent par faire semblant de partager l'opinion de nombreux Américains de l'époque sur l'innocence relative du peuple allemand. Ils feignent donc de démontrer que la méfiance de parti pris d'un des Yankees rescapés à l'égard de l'Allemand, n'est pas fondée. C'est un être humain, après tout. Puis, alors que le spectateur, agacé depuis le début par l'hostilité de cet homme soupçonneux, se réjouit de voir la quasi-unanimité se faire à bord sur une conception plus libérale des rapports humains, fût-ce en temps de guerre, le naufragé germanique révèle peu à peu une duplicité puis une sauvagerie dont il faut bien accepter l'évidence.

L'Allemand finit par jeter à la mer l'amputé, devenu à ses yeux irrécupérable. Nous saisissons l'arrière-pensée : rappeler la théorie nazie condamnant sans pitié les êtres faibles ou malades. Commentaire : « Jamais nous ne comprendrons les réactions de cet homme. Vous voyez bien qu'on ne peut s'entendre avec ces gens-là. » Il se passe alors ceci de surprenant : que sans autre forme de procès ces bons Américains, mis hors d'eux, assassinent en le frappant à mort l'ennemi qui les a trompés. La violence de cette scène n'est concevable que dans un climat de guerre. Il s'agit d'apprendre la haine à des citoyens paisibles. Il s'agit surtout de leur enseigner à tuer. Avec le recul, cette séquence apparaît odieuse. Les auteurs s'en désolidarisent en mettant dans la bouche d'un des assassins des mots de regret et de honte. Il n'empêche que cette meute, dont il n'est pas fier d'avoir fait partie, a reçu la bénédiction des plus hautes instances de la patrie représentées à Hollywood par une censure qui, le temps de faire la guerre et de la gagner, a renversé la table des valeurs.

Sociologiquement intéressant, humainement déplaisant, *Lifeboat* vaut par les détails où Hitchcock révèle son talent. Je pense moins à la virtuosité (du reste inégale) du tournage sur cet espace réduit d'un canot jamais quitté (d'où parfois, chez les spectateurs, l'amorce du mal de mer) qu'à la beauté et à la force de certaines images. Océan couvert de menues épaves cadré dans un viseur d'appareil photographique. Lumière blafarde de l'aube embrumée. Visages de femmes lavés, par la catastrophe, de leurs fards (les plus tenaces étant les moins matériels : non pas le rouge, ni la poudre, mais le masque de la dignité, de la dureté ou de la coquetterie). Amour élémentaire surgissant des circonstances entre deux êtres que tout séparait. Sensualité brute révélée par des images très simples, deux pieds nus qui se cherchent, un doigt équivoque crevant nerveusement le papier tendu d'un vieux journal...

Journal sur lequel apparaît, à la faveur d'une réclame, la silhouette d'Alfred Hitchcock dessinée en ombre chinoise. Sachant qu'il signe de sa fugace présence chacun de ses films, nous nous demandions comment il ferait pour monter sur ce petit bateau sans trop se faire remarquer. Et le voilà illustrant la publicité d'un remède contre l'obésité. Ce fut peut-être pour Hitchcock une façon de nous apprendre qu'il n'était pas dupe de cette entreprise contestable dont il essaya, non plus patriotiquement, mais cinématographiquement, de tirer le meilleur parti.

J. L. Mankiewicz. [Cl. Cahiers du Cinéma.]

## J. L. MANKIEWICZ

Joseph L. Mankiewicz est un vieil hollywoodien. Il se fit d'abord connaître comme scénariste et collabora en cette qualité à de nombreux films entre 1931 et 1943. Citons, entre autres, *If I had a Million* (1932), *Alice in Wonderland* (1933), *Three Comrades* (1938), etc. Venu à la mise en scène en 1945, il réalisa notamment ces œuvres célèbres que sont *All about Eve* (1950), *Five Fingers (L'Affaire Cicéron)* (1953), *Jules César* (1954).

*The Barefoot Contessa*, a été, comme les précédents, écrit par Mankiewicz avant d'être mis en scène par lui. On trouve dans sa première partie une violente satire des milieux cinématographiques américains. Si violente même qu'il ne pouvait être question que la Fox ou la M. G. M. le produisît comme les précédents. Dans un fameux article de *Life*, Mankiewicz avait déjà dénoncé la pauvreté intellectuelle et morale du cinéma hollywoodien moyen. Le réquisitoire est transposé ici en images cruelles. *La Comtesse aux pieds nus* doit à la virulence de cette condamnation une partie de son intérêt.

Nous faisons, dès les premières images, la connaissance d'un producteur milliardaire venu au cinéma grâce aux hasards de la finance et y déployant son goût de la puissance et son dégoût des hommes. Il a sorti de son oubli un metteur en scène jadis célèbre, Harry Dawes, dont nous apprenons qu'il dirigea, au temps de ses (et de leurs) succès, Joan Harlow et Carole Lombard. Humphrey Bogart prête à ce revenant son triste visage ravagé que nous devrions juger laid, mais qui est, par son humanité, l'un des plus émouvants d'Hollywood, si même il n'atteint pas à une sorte de beauté.

Cet homme usé conserve dans sa lassitude une fierté qui fait injure à son producteur. Metteur en scène ou concierge, lui dit ce dernier, je vous ai payé comme les autres et vous devez m'obéir quels que soient mes ordres. Ramasser mon chapeau si je vous le demande. Balayer le studio si tel est mon bon plaisir. Ainsi parle ce jeune tyran depuis le trône que lui érigent les deux cent millions de dollars dont il a hérité. Dawes tient à son âme et ne veut pas la vendre. Ame ! Ce mot inusité à Hollywood éclate dans le micro avec une superbe incongruité. Seulement, il faut vivre. Dawes essaye tant bien que mal de concilier les impératifs de sa dignité bafouée et ceux de sa carrière renouée. Aussi bien, l'un de ses amis lui assure-t-il que son âme, il y a longtemps qu'il l'a perdue. Ce ton de l'évidence est plus nocif dans sa sérénité que la blessante fatuité du producteur. Mais c'est là un genre de certitudes trompeuses.

Apparaît dans ces scènes ce que le cinéma, en Amérique comme ailleurs, ne nous laisse presque jamais deviner : la présence, derrière la convention des images, d'un homme vivant qui entend se servir de la caméra, comme d'autres des moyens traditionnels d'écriture, pour exprimer ce que l'existence lui a enseigné et qu'il tient à dire. Nous comprenons que Joseph L. Mankiewicz, avant d'être comme ici son propre producteur, a été humilié par des hommes qu'il serait sans doute possible d'identifier à certains traits et de nommer.

Mais il y a un autre sujet dans ce film. Aussi scabreux qu'il soit, il est clairement traité, tout au moins en ce qui concerne l'un des personnages. C'est celui de l'impuissance. Le beau comte italien qu'épouse la vedette de Dawes, *star* donnée comme glorieuse et qu'Ava Gardner interprète de façon on ne peut plus convaincante, est revenu infirme de la guerre. Il n'a pas le courage de l'avouer avant les noces. Il y a, précédant la révélation, quelques scènes émouvantes. Et puis, le film s'engage, semble-t-il, dans la voie du mélo qu'il n'avait du reste malheureusement pas toujours évitée jusque-là. La première partie en prend rétrospectivement davantage de valeur. Et d'autant plus que le même sujet de l'impuissance, beaucoup plus discrètement abordé, s'y trouvait non point certes traité, mais suffisamment indiqué pour donner à l'œuvre une dimension de surcroît. Non plus l'impuissance produite par une mutilation ou par une insuffisance physiques, mais celle, beaucoup plus

répandue, due aux inhibitions et aux phobies de la
timidité.

Là encore, j'imagine, Joseph L. Mankiewicz sait de quoi
l parle. Sans doute n'a-t-il eu qu'à ouvrir les yeux. Ces hommes qui peuvent tout se payer, il arrive qu'ils se voient refuser
ce qui ne s'achète pas : l'amour, par exemple, celui du
cœur et l'autre. Cette créature fascinante qu'est Ava Gardner
« le plus bel animal du monde », assure la publicité avec le
minimum de mensonge), nous la voyons vivre tour à tour
avec le producteur déjà nommé, puis avec un Américain
du Sud tout aussi riche. Elle passe pour la maîtresse de ces
hommes, qui, s'ils font le nécessaire pour que la rumeur de
leur liaison soit établie, n'osent rien tenter pour la rendre
effective. Il faut lire ici le film entre les images. Plus est
grande la puissance de ces magnats, plus leur impuissance
apparaît tragique. Ils sont là, affreusement solitaires, dému-
nis, abandonnés, nus, semble-t-il, sous le regard lucide
d'un Dawes-Bogart, si bien vengé qu'il n'en éprouve même
pas le besoin de triompher.

Il y a ici suffisamment de nouveauté — et d'une qualité
assez rare — pour que nous passions sur les nombreuses
scènes un peu trop romanesques et banales de *La Comtesse aux pieds nus*. Le film, bien raconté, multiplie peut-être
à l'excès (comme chez nous *Le Diable au corps*) les retours
en arrière à un même enterrement.

Au cinéma, comme dans la vie, nous faisons un choix entre
les images : retenant, dans la vie, celles qui importent à
notre action ; à l'action que nous faisons nôtre, au cinéma.
Sélection à la seconde puissance en ce qui concerne les films
où une partie au moins de ce qui a été cadré dans chaque plan
a été voulu par le réalisateur. Le reste, qui appartient au
foisonnement de la réalité, a été donné de surcroît. On y
trouve parfois une beauté et des enseignements. C'est *le
cinéma des marges*, dont j'ai souvent parlé, mais qui ne
retiendra pas davantage notre attention. Seule nous
intéressera, en effet, la maîtrise des cinéastes sur leur matière :
ce qu'il y a de gouverné dans leurs œuvres.

Les films qu'il suffit de ne voir qu'une fois sont ceux que
l'on aurait pu se dispenser de voir. Juger, en revanche, sur

une seule lecture ceux qui, tel *La Comtesse aux pieds nus*,
ont été pour leur auteur un moyen d'expression utilisé avec
sérieux, sinon même avec gravité, nous prive de maintes
richesses d'abord insoupçonnées. Débarrassés du soin de
suivre l'affabulation immédiate, nous laissons plus de liberté
à notre regard, qui se promène sur l'écran comme la caméra le faisait dans le champ ; ce sont nos gros plans à nous,
nos travellings : ils nous révèlent des détails qui n'étaient
souvent apparus d'abord tels que pour une vision trop
strictement utilitaire. Des notations discrètes se révèlent
alors de toute importance. C'est un second découpage, indi-
viduel, mais qui aide à comprendre celui de l'auteur. L'équilibre de la composition se précise et c'est l'histoire racontée
elle-même, dont nous pensions moins nous soucier, qui s'en
trouve approfondie.

Ainsi ai-je revu trois fois, en juillet 1939, *La Règle du
jeu*, lors de sa brève sortie parisienne. Ainsi ai-je revu *La
Comtesse aux pieds nus*, comme on relit un roman. Mais
avec plus de surprise encore. C'est que les représentations
offertes de plein fouet ou sur les miroirs de l'écran sont plus
fugitives, dans leur précision accrue, que celles suggérées
par les mots. A l'exception des images, relativement peu
nombreuses, qui, signifiant pour nous l'action, nous en con-
servent le souvenir, les plans s'évanouissent à mesure en ne
laissant que de vagues traces dans nos mémoires. Si *La
Comtesse aux pieds nus* avait été un livre, je n'aurais sans doute
éprouvé nul besoin de m'y référer de nouveau après si peu
de jours. Mais il faut compter avec la vitesse de projection
des films : les rythmes de l'oubli en sont accélérés.

Humphrey Bogart incarne, dans *La Comtesse aux pieds
nus*, un personnage presque en tous points différent de
ceux qu'on lui fait habituellement jouer. A la place de la
sympathique brute coutumière, nous avons un intellectuel, non moins sympathique, mais dont les seules vio-
lences, à de rares sursauts près, sont spirituelles. Joseph
L. Mankiewicz l'a chargé de le représenter : il est, à son exemple, metteur en scène ; à son exemple, il écrit lui-même ses
films. Cinéaste comme on est écrivain : ce n'est pas à la
légère que je cherchais mes références dans la création romanesque. La grandeur et les servitudes du cinéma tiennent
une grande place dans l'action : non seulement ses lourdes
implications économiques, négatrices de la liberté des auteurs et de leur dignité ; mais aussi l'honneur et le bonheur

*La Comtesse aux pieds nus.* [Cl. Cahiers du Cinéma.]

du métier. Les films que réalise Harry Dawes-Humphrey Bogart sont un des sujets de ce film. La boucle est fermée ; le reptile cinématographique se mord la queue : cercle parfait — et vivant.

J'ai indiqué, plus haut, quelques-uns de ses thèmes. Il en est beaucoup d'autres — sans parler de la signification psychanalytique de ce titre, tant à l'égard de Mankiewicz qu'en ce qui concerne la mythologie d'Ava Gardner : Jean Aurel a remarqué que dans presque tous ses films, il y a au moins une scène où l'on voit Ava les pieds nus. Parmi ces thèmes, il faut noter celui de « la femme américaine à la fois adorée et sauvagement frustrée », dont il a été si bien parlé dans une critique anonyme (l'auteur en était, selon toute probabilité, une femme : ce *sauvagement* n'est pas d'un homme). La description encore de cette autre impuissance qui est celle des femmes éperdues de l'amour qu'elles ne

peuvent éprouver. Le portrait aussi d'un certain monde
international, clan de privilégiés pitoyables dont « la grossière parade donnée entre Nice et Cannes » continue inchangée
en Californie ou en Floride, jouée par les mêmes clowns
(le mot y est, il éclate), les mêmes bonimenteurs, les mêmes
ballerines prostituées : mais si nous pouvons mettre un
nom sur la plupart de ces visages, leur ressemblance est
d'autant plus saisissante qu'elle accède au plan de la géné-
ralité. Qu'il y a eu transposition et création.

Il faut ajouter des phrases très simples, mais *romanesques*
et qui multiplient longtemps en nous les échos d'une poésie
incompréhensible. Ce qu'a d'insolite, tout au moins dans
un film, ce metteur en scène marié, heureux en ménage et
qui n'est lié à sa vedette que par une chaste amitié. Il serait
bon d'expliquer pourquoi la fin de cette œuvre n'est ridicule qu'en apparence, Mankiewicz n'assumant pas, comme
on était d'abord porté à le croire, le délire de son héroïne.
Il serait enfin nécessaire de montrer à quel point est bien
agencée dans sa complexité une narration prenant, avec
l'ordre chronologique, des libertés grâce auxquelles le temps
perdu, abordé chaque fois de façon nouvelle, livre un peu
plus de sa richesse.

Max Ophuls. [Cl. Cahiers du Cinéma.]

## VII

## MAX OPHULS

— ...Incessamment il se pourrait...
— ...absurde...
— ...oui, mais peut-être...
— ...chemin putride.

Propos allusifs qui figurent dans un roman de Michel Leiris intitulé *Aurora*. Ouvrage confidentiel — et pas seulement parce que l'auteur nous y avoue, sous une forme transposée, maints secrets sur lui-même.

On se demande où j'en veux venir ? A *Lola Montès*, film de Max Ophuls, dont le dialogue n'est guère plus compréhensible que celui de Michel Leiris. Fait de phrases énigmatiques, de chuchotements, d'allusions, de propos interrompus, d'ébauches, de reprises, le texte français se perd dans un anglais ou un allemand guère plus audibles dès qu'il ne se dilue pas dans les eaux du silence.

Méthode commode pour le tournage simultané en trois langues ? Bien plutôt, choix délibéré. Moyen qu'a choisi Max Ophuls parmi beaucoup d'autres pour désorienter le spectateur et lui faire perdre pied au sein de la réalité la plus quotidienne. Audace de créateur inspiré. Avant-garde. Contrairement à la plupart des poètes modernes (et à Michel Leiris), Max Ophuls connaît son époque surréaliste sur le tard au lieu d'inaugurer son œuvre par elle. Mais ce qui est aisé dans le travail solitaire de l'écrivain représente au cinéma une difficile témérité.

Ce poème surréaliste a coûté entre six cent et sept cent millions. (Ses producteurs eux-mêmes ne semblant pas fixés à cinquante millions près !) Pour donner sa couleur automnale à une route et aux arbres qui la bordent, Max

Ophuls les a fait teindre en ocre sur une distance de quatre
kilomètres. Dix tonnes de peinture rouge ont été utilisées
à cet effet. Quant à Martine Carol, interprète de Lola Montès, elle ne porte pas moins de trente-deux robes pour cent
minutes de projection, ce qui fait une nouvelle toilette
toutes les trois minutes. Ce ne serait rien encore si elle les
enlevait ainsi que le public l'attend. Mais à l'exception d'une
courte scène, pas un seul déshabillage. Un strip-tease avait
bien été prévu. Et tourné. Mais Ophuls, décidé à refuser
jusqu'au bout la facilité, l'a coupé au montage.

Il est évident que pour ce prix et dans ces conditions les
bailleurs de fonds, comme le public chargé de les leur bailler
de nouveau, ces fonds, après honnête accroissement, étaient
en droit d'espérer la grande machine traditionnelle de rigueur :
celle où l'anodin, sinon toujours la bêtise, est à l'échelle
des millions dépensés. Les commanditaires voyant une œuvre déroutante s'affolent. Quant au public, ne reconnaissant
pas ses pâturages coutumiers, il croit que l'on se moque de
lui et proteste.

Max Ophuls a courageusement joué sa carrière. Il arrive
heureusement, même au cinéma, que l'audace paie. Il
arrive, son premier désarroi passé, que la foule se reprenne
et comprenne. Comprenne que ce vieux monsieur lui
a offert un des chefs-d'œuvre les plus jeunes de l'écran.
Le brio de sa réalisation n'a d'égal que l'originalité de son
inspiration. Ces images délirantes sont orchestrées avec
une maîtrise qui ne se dément pas. Le film n'aura pas coûté
trop cher s'il a réveillé le public, arrachant ainsi le cinéma à
grand spectacle de son ornière.

Cordes, lustres, girandoles (celles-ci assurées pour seize
petits millions seulement), s'interposent avec une continuité
surprenante, entre acteurs et spectateurs. Écriture d'où
naît un style. Le découpage en quelque sorte vertical réalisé
grâce à ce recours systématique à ce qui pend, se balance,
divise, sépare, permet à Max Ophuls des cadrages admirables.
Soit à l'aide de caches, soit en noyant dans l'ombre les deux
tiers momentanément inutiles de l'écran, il emploie le
cinémascope avec une souplesse jamais encore approchée.
L'espace visuel se rétrécit ou il s'élargit selon les besoins
de l'action.

Les décors de Jean d'Eaubonne, aussi baroques qu'il
est souhaitable dans leur irréalisme flamboyant, servent au
maximum les intentions de l'auteur, comme du reste la

*Lola Montès.* [Photo Raymond Voinquel.]

musique *ravissante*, au sens magique du mot, de Georges Auric. Des retours en arrière fréquents, à partir du cirque où Lola Montès déchue évoque son passé, retours en arrière qui ne suivent même pas tous la chronologie, ajoutent au dépaysement.

Martine Carol donne à rêver sous des apparences à la fois bien connues et subtilement autres. Quant à Peter Ustinov, introducteur du spectacle, il concilie l'ignominie et le sublime, se présentant comme l'un des personnages les plus poétiques que j'aie vus depuis longtemps à l'écran, personnage ayant de surcroît une épaisseur romanesque. Les hésitations de sa voix étrangement timbrée et dissonante ajoutent à l'émotion incompréhensible mais profonde qui s'empare de nous chaque fois qu'il est là. Ce trouble atteint son apogée lorsque, du discours destiné au public, Peter Ustinov passe, *mezza voce*, à des propos plus intimes, souvent balbutiants de tendresse, destinés à cette Lola Montès qu'il traite en monstre de foire et en bien-aimée.

Jean Renoir. [Cl. Cahiers du Cinéma.]

## VIII

## JEAN RENOIR

J'arrivai l'un des premiers. Jean Renoir était déjà là, que je n'avais pas revu depuis une lointaine rencontre vénitienne. Il m'accueillit avec une gentillesse dont je fus touché.

— « Anna Magnani et presque tous les autres acteurs du *Carrosse d'or* ont interprété le film en anglais, m'explique Renoir. Dans la copie que vous avez vue, le texte français avait été post-synchronisé, avec tous les inconvénients de ce procédé barbare. L'hérésie des coproductions et de leurs affreux doublages est aujourd'hui si répandue que le public a fini par y prendre goût. Bientôt, sans doute, il en redemandera ! J'ai pensé, puisque vous avez aimé ce film, qu'il vous intéresserait d'en voir la version originale. Vous verrez que cela vaut la peine d'entendre la Magnani s'exprimer directement dans un anglais auquel son accent donne de charmantes résonances. Allons... »

Et nous allâmes, conduits par Henri Langlois, à travers les salles de ce musée du cinéma, hélas disparu depuis, qu'il avait installé avenue de Messine avec tant d'amour et de goût. Chemin faisant, Jean Renoir m'expliqua que cette copie anglaise du *Carrosse d'or* (1952) n'était là que pour un jour et tout à fait par hasard. Il ne la connaissait pas lui-même sous cette forme, des coupures ayant été faites sans qu'il ait été consulté. Quelques-uns de ses amis arrivèrent, que je ne connaissais pas, et la projection commença.

Je retrouvai aussitôt le charme de cette œuvre, dont l'apparence pimpante est trompeuse, comme presque toujours chez Jean Renoir. Son ton est grave parce qu'il ne peut s'exprimer que gravement et qu'il lui est notamment impossible de parler d'amour à la légère. Il sembla pourtant ne se proposer ici que de donner le meilleur de lui-même à une orchestration heureuse des couleurs, des mouvements et des mots. Vivaldi accompagne de ses arabesques sonores les entrechats et les pirouettes d'une Commedia dell' Arte que le cinéma renouvelle sans rien lui faire perdre de son libre jaillissement. Mais Vivaldi n'est lui-même léger que pour ceux qui ne savent pas l'entendre.

Cependant, la salle minuscule de la Cinémathèque se remplit peu à peu dans l'ombre. Non loin de moi, Jean Renoir, immobile et massif, regarde l'écran sans mot dire. De temps à autre, il touche légèrement l'épaule de sa femme. Une lampe sourde éclaire le papier sur lequel elle note aussitôt, sans indication plus explicite, ce qu'elle a immédiatement compris qu'il lui signalait : tel gros-plan coupé, telle scène écourtée.

— « Évidemment, il y a des coupures, dit Jean Renoir lorsque la lumière se rallume. On a parfois l'impression que le monteur s'est légèrement saoulé devant sa moviola. Ce n'est pas très grave. Le récit est devenu moins fluide, il a perdu par moments en subtilité, mais qui s'en apercevra ? »

Un disciple assure alors qu'il a pris note de toutes les mutilations. Aucune d'entre elles ne lui a échappé et il se propose d'en indiquer le détail. L'auteur apaise tant bien que mal sa juvénile serviabilité. C'est alors que Jean Renoir découvre les camarades arrivés en cours de projection. Jacques Prévert, d'abord. Ils tombent dans les bras l'un de l'autre, se donnent des tapes tendrement viriles sur les épaules. Comme tous les amis, passée l'adolescence, ils n'ont peut-être pas grand-chose à se dire. Mais ils débordent d'une fraternelle affection de vieux complices.

Un peu en retrait, les deux frères se tiennent humblement : Claude Renoir, que l'on prend souvent pour son homonyme et neveu, l'opérateur ; Pierre Prévert, à qui son talent plus corrosif a fermé les voies du succès où frère Jacques s'est engagé si avant. Il y a là aussi Jean Grémillon, Jean Aurenche, Louis Chavance. Il manque Jacques Becker, Alexandre Astruc, quelques autres. Bref, cette aristocratie française du cinéma dont Jean Renoir est le chef incontesté est bien représentée. On a beau ne pas être du dernier bien avec tout ce noble monde et n'occuper soi-même que la place la plus modeste, la dernière, celle du critique, on se sent en famille.

Aussi bien Jean Renoir me parle-t-il du rôle de la critique en des termes réconfortants :

— « Il n'y a de public intéressant pour nous que celui qui vous suit et que vous formez, vous autres critiques. Sans vous, nous ne travaillerions pour personne. Nul ne connaîtrait ce que nous avons voulu faire et comment nous y avons réussi ou échoué. Vous ne saurez jamais l'importance qu'eut pour moi le papier que vous avez consacré au *Carrosse d'or...* »

Nous aussi, nous surtout nous travaillons dans les ténèbres. De telles paroles nous font du bien, même si nous en savons la gentillesse exagérée à dessein pour nous faire plaisir. Il ne s'agit du reste pas des seuls critiques, mais de ce que Renoir lui-même appelle (comme Cocteau) les *aficionados*. A Jacques Rivette et François Truffaut il a déclaré : « J'ai la conviction que le cinématographe est un art plus secret que les arts soi-disant secrets. On croit que la peinture, c'est secret, mais le cinéma c'est beaucoup plus secret ; on croit que le cinéma, c'est fait pour les six mille personnes du Gaumont-Palace, ce n'est pas vrai ; c'est fait pour trois personnes parmi ces six mille personnes... »

\*\*\*

Georges Sadoul a publié un article intitulé *Dimensions de Jean Renoir*. Il y eut plus d'un lecteur pour trouver ce titre hyperbolique. Prendre les mesures de Paul Valéry, soit ! Mais le plus grand homme de cinéma est encore de taille trop modeste pour être appréciée... Ce qui est traiter avec une désinvolte incompréhension l'auteur de *La Règle du jeu* et du *Fleuve*. Nous avons d'autres ambitions pour l'art de l'écran. Il faudra bien que l'on s'y fasse.

En apprenant, il y a quelque temps, que Jean Renoir allait faire jouer une pièce, je n'en ai pas moins éprouvé un peu d'appréhension. Ce passage est périlleux pour les cinéastes. On n'a pas oublié ce que Roberto Rossellini fit en toute bonne conscience et innocence de la *Jeanne au bûcher*, de Paul Claudel. Je n'ai pas vu le film qu'il en a tourné. Mais comment espérer que la grandiloquence périmée et le mauvais goût dont nous gardons le consternant

souvenir aient pu tout à fait disparaître de l'écran ? Tout
au plus pouvons-nous penser que des projecteurs moins
mélodramatiques y remodèlent le visage d'Ingrid Bergman. Cette différence de qualité entre ce que le même
réalisateur nous offre, dans ses chefs-d'œuvre de l'écran
et au théâtre, sous le même nom de mise en scène, est
rétrospectivement inquiétante quant à la place reconnue
à Rossellini.

Jean Renoir se tira plus heureusement de l'épreuve. Sa
poésie passa sans déperdition excessive de l'écran à la
scène. Ce qui disparut en revanche d'*Orvet*, ce fut l'originalité du véhicule rendant cette grâce sensible. D'où les
réserves, si ce n'est l'hostilité, de la plupart des critiques
dramatiques. Ils connaissaient trop de pièces d'inspiration
et de ton voisins et ils les connaissaient trop bien pour juger
utile de chercher par quels côtés, nullement négligeables,
celle-ci ne ressemblait à aucune autre. Aussi bien aurait-il
été nécessaire que leur culture cinématographique fût de
même étendue que leur culture théâtrale. Il fallait déjà
aimer Jean Renoir pour aimer *Orvet*. Mais alors on l'adorait.

Il y a de l'enfance en Jean Renoir. Jouer avec des ours en
peluche reste une de ses tentations : nous les retrouvons à
sa taille et à la nôtre sur l'écran de *La Règle du Jeu* comme
aujourd'hui encore dans *French Cancan* (1955). Mais s'il a
la fraîcheur du jeune âge, il advient aussi qu'il en montre les
colères. Je l'entendis, un soir, réagir à la déception que lui
causa l'accueil fait à *Orvet*.

« M. Steve Passeur a le droit de trouver ma pièce ratée,
il est du métier, déclara-t-il notamment. Mais M. Favalelli
n'a pas le droit de critiquer la personne de Leslie Caron,
car il n'y connaît rien. Je puis l'assurer que si mon père
avait connu Leslie, ce n'est pas un portrait d'elle qu'il aurait
fait, ni cent : il aurait passé sa vie à la peindre... »

En cet éternel débat, les pauvres critiques ont admis une fois
pour toutes avec humilité leur position. Il est un peu facile
de la leur rappeler ainsi. Car enfin Jean Renoir va jusqu'à
dénier à un critique professionnel ce qu'il est bien obligé
de reconnaître à n'importe quel spectateur : le droit de juger
le jeu des comédiens.

Mais laissons cela. Il y a mieux à retenir d'une telle prise
de position. D'abord la trop grande importance accordée,
semble-t-il, par Jean Renoir à ses acteurs. Peut-être le
personnage d'Orvet aurait-il eu plus d'épaisseur s'il n'avait

*French Cancan.* [Cl. Radio-Cinéma.]

pas été fait sur mesure. Il y a dans *Orvet* comme dans *French Cancan* un côté « sketch de revue », au moment même divertissant, mais qui empêche partiellement l'un et l'autre spectacle d'accéder au plan de l'œuvre durable. Voir, par exemple, les silhouettes, il est vrai charmantes, créées ici et là par le jeune Jacques Jouanneau (Michel Simon de l'avenir, auquel la plus brillante carrière semble promise). Voir surtout, dans *French Cancan*, le personnage indéfendable de Philippe Clay qui pousse de temps à autre sa chansonnette sans justification aucune.

Il y a plus grave. Nous commençons à déceler chez Jean Renoir une tendance à abandonner l'irréductible langage de la caméra pour celui du pinceau, qui n'est point utilisable au cinéma sans artifice. Les couleurs de *French Cancan* sont certes admirables. Nos yeux y prennent plaisir et plus encore à la seconde vision : n'ayant plus à nous préoccuper de l'indigent scénario et sachant que nous n'avons pas plus à attendre de sa bouffonnerie volontaire que de ses involontaires niaiseries, nous découvrons de nombreux plans composés et orchestrés comme des toiles de maître. Il y a là des accords de roses et de bleus qui sont du très grand Renoir Entendez : du très grand Jean Renoir.

J'aime moins la partie délibérément Auguste Renoir du film. Le cinéma ne s'inspire plus ici de la peinture pour la transposer selon ses lois, il la copie. Une telle stylisation me paraît être un contresens à l'écran. Le réalisme des scènes d'intérieur (transfiguré par la vision de Jean Renoir) accuse l'irréalisme, voulu mais non admissible, des prétendus extérieurs (qui sont reconstitués et non plus recréés par l'auteur).

Jean Renoir continuait de façon plus légitime la tradition impressionniste dans sa *Partie de campagne* et le noir et blanc n'y changeait rien, tant sont puissants les moyens spécifiques de la caméra. Le magnifique *Carrosse d'or* s'inspirait du langage pictural, mais au profit du seul cinéma. Nombreuses et superbes restent du reste de telles séquences dans *French Cancan*. Tout au plus y décèle-t-on la tentation d'une certaine complaisance que la virtuosité même de l'auteur facilite.

*
* *

Feuilletant un album de famille, Jean Renoir fait quelques confidences dans un court-métrage présenté au même programme que *Elena et les hommes* (1955). Évoquant rapidement son œuvre cinématographique, il s'attarde sur un seul titre, *Toni*. La raison, dont il n'est pas peu fier, est que ce film tourné en décor naturel avec, tout au moins partiellement, des acteurs non professionnels, préfigura dès 1935 le néo-réalisme italien.

En revanche, Jean Renoir se contente de citer au cours de ce recensement et comme avec négligence *La Règle du jeu* (1939), chef-d'œuvre encore méconnu en dépit de nombreuses reprises. Non que son auteur n'aime pas ce film : je l'ai au contraire entendu affirmer qu'il était l'un de ceux auxquels il tenait le plus. Mais d'évidentes parentés entre *Elena et les hommes* et *La Règle du jeu* l'ont peut-être incité sans qu'il s'en rende compte à cacher ses sources. Censure inconsciente d'un créateur qui, dans son effort pour aller de l'avant et se renouveler, doit marcher sans trop regarder derrière lui.

Ce qui ne signifie pas que le réalisateur d'*Elena et les hommes* ne sache où il en est de son évolution. Dans une présentation de *Toni*, publiée par les *Cahiers du Cinéma*, il expliqua qu'il essayait désormais de s'éloigner du réalisme pour trouver un style plus composé. Ce qui était nouveau à l'époque de *Toni* est devenu banal. Les écrans ne nous montrent que bistrots crasseux, filles dévoyées, chambres d'hôtel sordides : « C'est le règne du linge douteux, des corps mal lavés, des mains tachées de cambouis. La soupe à l'oignon insuffisamment gratinée me donne envie de dîner dans un grand restaurant. C'est ce que je m'efforce de faire par le truchement de mes derniers films. »

Dans l'œuvre française de Jean Renoir, la frontière entre les deux styles est marquée par *La Partie de campagne* (1936). Mais c'est avec *La Règle du jeu* que Jean Renoir trouve ce ton unique dont il a conservé la nostalgie au point de s'en inspirer de nouveau plus de quinze ans après. Ce sont des secrets personnels que les créateurs transposent en quelque art que ce soit et dans le plus public, le moins discret de tous, le cinéma lui-même. Une psychanalyse de Jean Renoir pourrait être tentée à l'aide de ces deux seuls films, *La Règle du jeu* et *Elena et les hommes*.

Dès les images d'ouverture d'*Elena*, nous avons la surprise de cette voix féminine étrangère, si insolite déjà dans *La Règle du jeu*. Qu'une grande artiste, Ingrid Bergman, ait pris cette fois la place d'une comédienne médiocre, pour ne pas dire inexistante, est de peu d'importance : telle est la réussite de *La Règle du jeu*, qu'elle tire profit et tourne à son avantage l'échec lui-même : le style maladroit de l'héroïne fait maintenant partie de notre plaisir et de notre émotion. Nous n'échangerions pas cette mauvaise actrice contre Greta Garbo.

Jeux amoureux et poursuites sentimentales, contrepoints ancillaires, milieu social, châteaux se retrouvent inchangés dans les deux films. Que le dernier paru soit situé à la belle époque n'a d'importance que dans la mesure où ce recul permet de traiter avec plus de gaieté des thèmes dont l'auteur ne veut retenir que la légèreté. Je ne dis pas avec plus de désinvolture. Sur un mode plus grave, *La Règle du jeu* ne le cédait en rien à *Elena et les hommes* pour l'allure dégagée et l'aisance.

Aussi bien, les sous-titres donnés à ces deux œuvres par l'auteur suffisent-ils à marquer ce qu'elles ont pour lui d'identique et de différent. *La Règle du jeu* était intitulée *Divertissement dramatique*, alors que Jean Renoir voit en *Elena* une *fantaisie musicale*. Mais de même que le tragique du premier film accusait ce que la satire y présentait de comique, de même la drôlerie du second ne donne-t-elle pas le change sur la virulence sous-jacente du propos.

Jamais ne fut en effet plus insidieusement moqué l'engouement des gens pour tel beau général aimé plus sentimentalement que raisonnablement, ou l'activité brouillonne de certaines belles dames dont les occupations politiques sont une forme de désœuvrement. L'ambition et la rapacité des uns, le désintéressement niais des autres, Jean Renoir ne fait que les effleurer. Mais nous entendons le sifflement du fouet si gracieusement manié.

Laissons donc l'auteur (c'est un auteur complet, ne l'oublions pas : comme pour *La Règle du jeu*, Jean Renoir a écrit son film avant de le tourner), laissons-le nous affirmer qu'il ne s'agit dans son *Elena* que de gentil patriotisme et d'amour. Faisons semblant de le croire. Cela nous sera d'autant plus facile que l'amour vraiment est là, du moins un amour épidermique, irresponsable, printanier, chanté avec un lyrisme qui s'épanouit dans la merveilleuse scène finale des baisers.

Film irremplaçable, tel que seul au monde un Jean Renoir peut en réaliser. Admirable de grâce, de sensibilité, de couleur, de rythme. Et magnifiquement interprété (sous une telle direction, ce n'est pas étonnant) par tous ses participants. La photographie de Claude Renoir, la musique de Joseph Kosma concourent à cette réussite qui serait totale sans les quelques longueurs des scènes situées à Bourbon-Salins.

**\***
**\* \***

*Elena et les hommes* est de ces œuvres qui semblent avoir particulièrement besoin d'explications. Les professionnels eux-mêmes ont avoué leur désarroi. Eric Rohmer : « A parler franc, je me sens mal à l'aise. Comme une bonne femme au sortir du sermon, je ne sais dire que : *C'est très beau, je n'y ai rien compris.* » André Bazin : « Soyons francs ! J'ai éludé la semaine dernière la critique d'*Elena et les*

*Elena et les hommes.* [Cl. Radio-Cinéma.]

*hommes*, parce que je ne savais par quel bout la prendre. J'espérais sans y croire qu'un délai de réflexion supplémentaire me livrerait une clef, ne fût-ce qu'un passe-partout. Hélas ! je me retrouve avec mon admiration et ma perplexité... »

Expectative combien préférable à l'assurance de plusieurs autres juges qui, n'ayant rien compris, eux non plus, se sont empressés de juger et de condamner *Elena et les hommes*. Il est de toutes façons un mot qui se retrouve, souvent même à plusieurs reprises, en chacun des articles consacrés à ce film et qu'emploient aussi bien les dédaigneux que les admirateurs : *déconcertant*.

Sur ce point, nous sommes tous d'accord. *Elena et les hommes* nous laisse à maintes reprises embarrassés, interdits. Selon Georges Charensol (qui emploie deux fois *décon-*

*certant*), cette désinvolture marquerait l'indifférence d'un auteur *improvisant au studio sans se soucier des réactions des futurs spectateurs* : « ...Quelque logique, un vague lien entre les épisodes, voire un minimum de vraisemblance dans les caractères : de tout cela visiblement l'auteur se moque. Ce qu'il veut, c'est s'amuser, et je suis certain que la plus délectable euphorie n'a cessé de régner sur le plateau tout au long du tournage. »

Il n'est pas d'artiste qui, à l'ultime instant, n'improvise. Improvisation et création, en un certain moment d'accomplissement, ne font qu'un. L'impressionnante complication, la lourdeur et le prix de l'instrument dont use le cinéaste l'obligent dans toute la mesure du possible à ne rien laisser au hasard. Mais ceux-là mêmes qui, ayant tout prévu, considèrent que leur film est achevé dès lors que le script en a été mis au point, n'échappent pas à ces trouvailles de dernières secondes, récompense et couronnement d'un long travail. L'erreur est seulement de croire que cette création à vif n'obéit à aucune idée directrice. Selon Georges Charensol, « *Elena et les hommes* donne l'impression d'avoir été improvisé au petit bonheur ». On n'invente jamais au hasard. Il importe de ne pas confondre petit bonheur et bonheur d'expression.

Un autre mot employé par la plupart des critiques d'*Elena* est *marionnettes*. Selon Jacqueline Michel (qui n'emploie qu'une fois *déconcertant*), elles ne sont même qu' « à peine silhouettées ». Robert Benayoun assure : « La dimension humaine qui empêcha toujours les héros de Renoir de devenir des marionnettes de René Clair semble avoir disparu ». Selon Georges Sadoul, ce qui manque à *Elena* pour devenir une nouvelle *Règle du jeu*, c'est « l'amour des hommes qui anima Renoir dans les années trente et le haussa jusqu'au génie ».

Un peu du mystère de ce film (que je n'ai pas résolu moi non plus) me paraît résider dans le fait que les personnages d'*Elena*, s'ils se comportent comme ceux de Guignol, n'en demeurent pas moins humains. Même ceux qui, à l'exemple de l'excellent, de l'admirable Jacques Jouanneau, semblent simplifiés au maximum dans un style à la Feydeau, nous inquiètent et nous émeuvent au moment même où ils nous font rire de la façon la plus mécanique.

Nous saisissons peut-être là une bribe du secret non seulement d'*Elena* mais de toute l'œuvre de Jean Renoir. Nous

sommes déconcertés parce que rien de ce que nous avions
prévu ne se produit jamais. Nous sommes habitués à des
scénarios dont les surprises elles-mêmes ne nous étonnent
pas : le genre choisi et respecté aussi bien que les lois de la
psychologie permettent au spectateur de s'installer une fois
pour toutes dans un confortable affût. Chacun sait qu'il ne
sera pas dérangé : nous en avons pour tout un film à être
sérieux (avec les habituelles scènes de détente) ou, au contraire, badins.

Rien de pareil avec Jean Renoir. Éminemment avec celui
d'*Elena et les hommes*, l'une de ses œuvres les plus désorien-
tantes, certes, mais peut-être les plus accomplies sous ses
apparences relâchées. Que de brumes se dissipent à la seconde
vision ! Quel ordre apparaît à la troisième ! Il se peut que ce
film soit aussi révolutionnaire à sa date que *La Règle du jeu*
à la sienne. Eric Rohmer marque la difficulté de l'approche
lorsqu'il note que Jean Renoir *ne laisse même pas situer ses
audaces* : « Ses efforts portent sur quelque chose de précis
pour lui, mais qui échappe à notre premier coup d'œil :
ce que les connaisseurs, quelques années plus tard, nommeront
l'essentiel de la mise en scène. »

# IX

## ORSON WELLES

Pour faire plaisir aux distributeurs, *Mr Arkadin* est devenu *Dossier secret* (1955). Dès les premiers plans nous retrouvons un émerveillement oublié. Aussi discutable que s'an-
nonce l'action, nous savons que nous aimerons ce film et que
nous le défendrons avec passion s'il y a lieu. Notre admiration
pour Orson Welles s'était estompée en même temps que le
souvenir conservé de ses films. *Othello*, sa dernière œuvre,
remplie de beautés parfois outrancières, date de 1952.
Il était temps qu'un nouveau film nous fasse de nouveau
affronter de plein fouet l'art de ce visionnaire. Oui, dès les
premières images de *Mr Arkadin* nous nous demandons
comment nous avons pu nous passer si longtemps de ce
cinéma-là, le plus chargé de nouveautés et de richesses
qui soit.

Chaque plan est si foisonnant que nous déplorons de
n'avoir pas le loisir d'en épuiser les indications à peine entre-
vues. Mais notre enchantement est fait pour une grande part
de la rapidité des enchaînements. C'est le rythme du récit
plus que sa texture qui nous tient en haleine. La somptuo-
sité et les résonances des accords visuels n'ont pas été
conçues pour être goûtées séparément. Importe seul l'épanouissement symphonique où ·chaque ensemble de notes
nouvelles détruit celui, préexistant, qui l'avait rendu nécessaire avant de disparaître à son tour. La façon dont les
plans sont raccordés est d'une telle virtuosité que nous
n'avons pas le sentiment de la rupture, même lorsque les images rapprochées sont très différentes les unes des autres.

Cette exposition galopante aboutit bientôt à un premier
morceau de bravoure : une procession de pénitents en Es-

pagne. Puis à un autre plus surprenant : un bal masqué donné par l'énigmatique M. Arkadin dans son château. Goya et ses personnages ayant été donnés comme thème à la mascarade, Orson Welles anime une prodigieuse assemblée de monstres ricanants parmi lesquels la silhouette ravissante d'une jeune fille à mantille se détache, un court moment, aussi désorientante et aussi belle qu'un véritable Goya.

C'est alors seulement qu'apparaît pour la première fois M. Arkadin, d'abord masqué, mais plus impressionnant encore lorsqu'il montre son vrai visage. Orson Welles a de nouveau créé un personnage dont l'extraordinaire puissance ne suffit pas à assouvir l'ambition. Comme le citoyen Kane, M. Arkadin n'admet les êtres que soumis. Comme lui, il ne connaît pas de limite à son désir de possession. Ce qui ne l'empêche pas d'être, à son exemple, aussi démuni, malheureux et seul que le plus défavorisé des mortels. Depuis *Citizen Kane*, Orson Welles a pris de la corpulence : ce qu'il y a de terrible chez le massif M. Arkadin est moins dû au maquillage qu'à l'âge. Orson Welles se regarde dans une glace, il accuse d'un trait une ride trop réelle, en prolonge une autre avec le même bâton de fard, essaye une barbe qui va bien à son visage empâté : et voici ce monstre, M. Arkadin. Voici cet homme au faîte du pouvoir, torturé à la pensée que sa fille bien-aimée pourrait un jour connaître l'ignominieuse origine de sa fortune.

Orson Welles lui-même déclara qu'il n'avait jamais très bien compris comment finissait *La Dame de Shanghaï*. Si le scénario de *Mr Arkadin* est plus clair, il n'est guère plus vraisemblable. Nous n'en avons cure, entraînés que nous sommes par le fourmillement fuyant des images. Les audacieuses contreplongées d'une caméra véloce ne nous laissent pas une seconde de répit. Sommes-nous à bord d'un bateau, que l'appareil se fait oscillant. Aucun de ces mouvements n'est gratuit, ou alors ils le sont tous : de leur ensemble naît un style. De ce style, une écriture. Ce baroque flamboyant est sans équivalent dans toute l'histoire du cinéma, quels que soient les emprunts que Welles ait faits à l'origine aux maîtres expressionnistes du muet. Il n'y a plus réminiscence, chez lui, ni même résurgence, mais création originale.

Et quelle direction d'acteurs ! Quelle unité dans le paroxysme ! Il n'est point que les masques de Goya pour atteindre ici au sublime grimaçant. Akim Tamiroff et Katina Paxinou font notamment des créations hallucinantes. Dans ce pandemonium, quelques visages purs : celui surtout de Suzanne Flon, dont Orson Welles nous prouve qu'elle aurait le plus bel avenir cinématographique si les producteurs avaient un peu d'imagination et les réalisateurs de pouvoir.

Je m'en serais tenu à mon admiration si je n'avais revu le film. Cette seconde vision m'a surpris. Les images que j'avais maintenant le loisir d'étudier un peu plus longuement, puisque le souci de suivre l'affabulation ne me retardait plus, je les découvrais insolitement appauvries. Comme si la surprise était indispensable à notre émerveillement. Comme si l'anecdote, dont j'avais cru ne tenir aucun compte, entrait plus dans notre intérêt que je ne le pensais. Certes, les grandes scènes (le bal Goya, ou certain réveillon superbe) restent étonnantes. Mais les séquences intermédiaires apparaissent désenchantées, les cadrages vidés de leur substance.

Toute critique cinématographique est impressionniste. C'est en multipliant les impressions, donc en voyant un film plusieurs fois, que l'on peut espérer atteindre à une certaine objectivité. Je retournerai à Mr Arkadin. Une troisième, une quatrième vision me feront peut-être retrouver mon premier éblouissement. Du champagne Orson Welles je goûterai alors de nouveau autre chose que la mousse retombée.

NOTE

Les nouveaux venus de grand talent que sont Alexandre Astruc et Juan Antonio Bardem n'ont pas été oubliés. Ils prendront place dans un prochain volume, *Mythes et Visages du Cinéma*, à paraître dans la même collection.

# TROISIÈME PARTIE

# SÉRIE NOIRE

# I

## PETER CHEYNEY

Les romans américains de la « Série noire », s'ils sont traduisibles, ne sont pas transposables. L'argot a partout ses équivalents ; mais son pays d'origine n'est pas remplaçable dans la mesure où il s'agit moins ici de géographie que d'une certaine mythologie. De même qu'il est une Amérique du cinéma, sociologiquement et poétiquement définie, il existe une Amérique de Peter Cheyney, de Raymond Chandler et de James Hadley Chase : elle ne ressemble sans doute pas davantage à l'Amérique réelle, pour autant qu'une réalité nationale puisse être jamais faite d'autre chose que d'une accumulation de légendes.

Avec *La Môme Vert-de-gris* et *Cet homme est dangereux*, voici l'univers de Peter Cheyney dépaysé. On choisit un citoyen américain pour incarner Lemmy Caution, mais on le fait traverser l'Atlantique sous un prétexte quelconque : l'action se déroulera donc en France, où il fallait bien que ces films fussent tournés puisqu'il s'agissait d'entreprises françaises. Le physique ravagé autant que ravageur d'Eddie Constantine et son accent yankee suffiront, pense-t-on, à la vraisemblance. Mais il ne fut jamais de doublage moins fidèle que celui-ci, plus subtil mais aussi plus déloyal qu'aucun autre.

Le bourbon que l'on fait boire à Lemmy Caution pour le rendre autant que possible ressemblant lui reste, si l'on ose dire, extérieur et à nous. Ce whisky n'irrigue pas le récit ; il ne le rend pas ivre en même temps que notre héros. Quant aux belles filles participant avec lui à l'action, elles essaient en vain de se donner cet air de liberté dédaigneuse et d'audace qui rendait, dans les textes originaux, leur séduction aussi assurée qu'insolite. Il est impossible à des Françaises, même au cinéma, de ne pas être sentimentales en même temps que sensuelles. Et sans doute les Américaines ont-elles aussi cette faiblesse : mais point celles de Peter Cheyney.

*La Môme Vert-de-Gris* et mieux encore *Cet homme est dangereux* ne sont pas pour autant des films moins réussis que beaucoup d'autres. Nous ne les jugeons sévèrement que par rapport aux modèles qu'ils se sont donnés. Les péripéties n'y manquent pas, ni les occasions de s'y divertir. Mais la fantaisie s'y dénature à mesure en vulgarité. Mais le mouvement y est celui de rouages qui tournent à vide, sans embrayer sur rien de réel, et pas davantage (ce qui est plus grave) sur l'irréel : cette irréalité dont je parlais, qui est surréalité.

L'œuvre originale a perdu dans l'aventure son pouvoir d'envoûtement. Durcie, elle a pris une consistance qui la fige. La voici à la fois trahie par un excès d'invraisemblance et par une trop grande vraisemblance. Aussi rocambolesques qu'elles fussent, les péripéties du roman obtenaient de nous l'adhésion immédiate qui est celle de toute poésie lorsque le courant passe : les ouvrages de la « Série noire » sont les livres d'enfants des grandes personnes. Mais, comme les enfants encore, nous ne perdons jamais, en les lisant, l'obscure et rassurante conscience de l'imaginaire. Les cadavres ont beau s'accumuler, nous frissonnons juste assez pour que ce soit agréable, sans cesser de savoir que ce n'est pas vrai.

Dans le film *Cet homme est dangereux*, le détective Caution-Constantine monte d'aventure sur un bateau et y exécute lui-même un traître. La mort de cet homme, qui dans le roman aurait fait partie du genre, est prise par nous au cinéma pour ce qu'elle est. A l'écran, un meurtre est un meurtre, et non point l'inoffensive manière qu'a un mythe de s'affirmer. Il est des exceptions, bien sûr, et dans ce film même : mais il suffit d'un seul crime un peu trop réussi, comme celui-là, pour qu'il nous devienne impossible de jouer au jeu, toujours recommencé avec plaisir, du gendarme et du voleur.

*       *
*

Ces mêmes films, je dis bien ces mêmes exactement, à la langue près, m'auraient peut-être séduit s'ils avaient été parlés en américain. Combien en avons-nous vu de ces réali-

*La môme vert-de-gris.* [Cl. Radio-Cinéma.]

sations étrangères dont les seuls sous-titres nous permettaient
de suivre l'intrigue, les incompréhensibles paroles laissant
à l'expression. directe de la photographie animée son pur
pouvoir évocateur... Nous criions à la merveille et parlions
de chef-d'œuvre à l'étonnement des compatriotes du metteur
en scène, trop sensibles à la préciosité, à la banalité, au
mauvais goût ou au manque de naturel du dialogue pour
que l'œuvre entière ne s'en trouvât point dénaturée à leurs
yeux. Notre engouement pour bien des films américains
ou italiens a peut-être eu son origine dans cette intrusion
d'un pittoresque dû à l'ignorance de la langue dont, en contrepoint des images, les seules sonorités suffisaient à nous
enchanter, sans relation autre que lointaine avec la signification. La chaude musique de ces mots — d'autant plus
savoureux que nous ne les comprenons pas — double les
images d'une orchestration qui, dans le cas de l'italien,
nous désoriente moins qu'elle ne nous exalte. D'autres fois,
il est vrai, l'exotisme joue en. sens contraire dans cette prise
de conscience révélatrice. Il y suffit, là encore, d'un grand
film étranger ; ou, plus exactement, de ce que nous aurions
appelé un grand film s'il n'avait pas été précisément étranger. Je veux dire : si son caractère exotique ne nous avait
laissé prendre à son égard le recul qui nous permettait de
découvrir en quoi il cessait d'être grand. Ce qui nous fait
par exemple sourire dans *Enamorada* d'Emilio Fernandez et nous empêche presque continûment de nous abandonner au charme de l'intrigue et aux beautés de la transcription, cette emphase dans le ton du récit, cette outrance
dans le jeu des acteurs, nous choquent, alors que les Mexicains sont trop familiarisés sans doute avec de tels excès
par leur tempérament et leur éducation, pour y être sensibles. Mais tout permet de penser que les mêmes Mexicains
découvrent avec leurs yeux neufs des tares analogues dans
nos meilleurs films, sans gesticulation apparente pour nous :
conventions scéniques ou tics nationaux, toutes particu-
larités indigènes qui, si elles peuvent donner un charme de
surcroît à une œuvre, l'empêchent de devenir chef-d'œuvre
dans la mesure où elles n'ont pas été gouvernées.

## « LES DIABOLIQUES »

Ce qui frappe dans *Les Diaboliques* (1954) et dès les premières images, c'est l'économie des moyens employés par Henri-Georges Clouzot et leur efficacité. Pas un plan et, à l'intérieur de chaque plan, pas un détail qui n'ait sa raison d'être. Cette justification n'apparaît pas toujours au moment même. Telle est, en plusieurs endroits du film, l'accumulation des scènes horrifiantes que j'ai d'abord reproché à Clouzot de vouloir trop bien faire et d'en rajouter. Mais le dénouement inattendu légitime ces excès. Selon le témoignage de Paul Morand, Édouard Bourdet disait : « Il ne faut pas que le spectateur puisse se poser une seule question sans que la pièce lui fournisse la réponse. » Règle qui vaut aussi bien pour le cinéma. Les films policiers ont trop souvent en commun avec les romans du même nom, une fallacieuse rigueur : de nombreuses péripéties accumulées à dessein par l'auteur tout au long de son récit pour le rendre plus attrayant se révèlent après coup purement gratuites. Rien de tel avec *Les Diaboliques*, dont nous pouvons dire, comme Gœthe du *Neveu de Rameau* : « Quel enchaînement ! Tout s'y tient par une chaîne de fer qu'une guirlande dérobe à nos yeux. »

Ce parti pris dans l'affreux et l'effroyable a peut-être un inconvénient (mais qui semblera salutaire aux personnes n'aimant pas avoir peur trop longtemps) : il finit par avoir un effet mithridatisant. Un peu avant le dénouement du film, je n'ai pu m'empêcher d'évoquer l'une des tirades terminales de *Macbeth* : « J'ai presque oublié le goût de la peur. Il fut un temps où un cri poussé au milieu de la nuit m'eût glacé, où mes cheveux, au moindre récit lugubre, se fussent hérissés sur ma tête. Je suis gorgé d'horreur et repu : l'épouvante m'est depuis si longtemps familière qu'elle ne peut plus me faire tressaillir... »

Mais Clouzot vient à bout de cette possible accoutumance elle-même, en prenant soudain en traître notre sensibilité trop vite rassurée. J'ai eu la chance (ayant pour habitude de juger les films sur ce que j'en vois, non sur ce qu'on m'en dit à l'avance et que je n'écoute pas) d'arriver sans aucune idée préconçue à la projection des *Diaboliques*. Je savais seulement que Barbey d'Aurevilly n'avait fourni à Clouzot que son titre (plus, je l'appris en voyant le générique, une phrase d'exergue). Pour le reste, j'ignorais tout. Bienheureuse vacuité spirituelle : je fus pour cette œuvre le spectateur idéal et tel, hélas ! qu'il n'en eut sans doute pas beaucoup.

Ce film a été tiré par Clouzot (qui en écrivit les dialogues avec M. G. Geromini) d'un roman publié par MM. Boileau et Narcejac, *Celle qui n'était plus*. En la préface d'une nouvelle édition, ces auteurs reconnaissent qu'il ne subsiste plus grand-chose de leur texte dans *Les Diaboliques*. Ils ont la bonne grâce de s'en réjouir. Peu importe la lettre du moment que l'esprit demeure. Or il paraît que plus le film s'efforçait de rester fidèle à leur livre, plus il était contraint de s'en éloigner.

Cette préface est intéressante dans la mesure où elle expose une idée subtile et vraie. MM. Boileau et Narcejac font très justement remarquer que Clouzot ne pouvait isoler, comme dans le roman, le personnage-clef du drame (sans quoi il aurait rendu impossible toute surprise) : « Il lui fallait donc inventer une histoire telle que les images, à leur tour, fussent capables de mentir sans perdre ce caractère de vérité qui est l'essence même du cinéma... Ici le réel devient un masque. Clouzot, grâce à une intrigue remarquablement agencée, atteint à cette perfidie de l'image qui réunit d'une manière torturante le réalisme à l'expressionnisme. »

Il y a autre chose dans ce film que son aspect policier. Dès les plans d'ouverture, *le cinéma* s'empare de nous, et il nous confisque jusqu'aux dernières images. Les personnages sont situés et décrits avec une telle puissance que nous sommes prêts à tout accepter d'eux. Ils nous entraînent peu à peu dans une aventure criminelle, soit. Mais nous les aurions aussi bien et aussi loin suivis dans des drames de sortes différentes. Ils sont, cela suffit. Leur présence est même écra-

*Les Diaboliques.* [Cl. Cahiers du Cinéma.]

sante. Je songe surtout à Simone Signoret et à Véra Clouzot.

Œuvre dure, cruelle, impitoyable, où les enfants eux-mêmes sont considérés sans bienveillance. La vision qui s'y révèle est celle d'un artiste qui nous montre ce qu'il voit, comme il le voit, fût-ce par l'entremise d'un roman policier. Du *Corbeau* au *Salaire de la peur*, cette vision reste la même. L'auteur a seulement appris à l'exprimer avec un accent plus vrai et plus saisissant encore. Sa maîtrise est désormais telle qu'il n'a plus besoin de travailler son style. Celui-ci s'impose à lui et à nous. Il lui suffit d'être fidèle à soi-même, sans plus rien forcer ainsi que cela lui arriva parfois dans le passé. Comme il est en pleine possession de son métier, l'inspiration et l'exécution se recouvrent. C'est, en quelque art que ce soit, ce que l'on appelle un chef-d'œuvre. Nous tenons pour négligeable l'excès de noirceur des *Diaboliques* en raison de l'efficacité, du rythme, de la qualité du film. Nous ne dirons pas : de ses beautés. Clouzot est un dialecticien, non un plasticien de l'écran.

## III

## « TOUCHEZ PAS AU GRISBI »

Jacques Becker, dont la maîtrise s'accuse de film en film, ne ressemble pas aux petits confrères de sa génération, lesquels ont un peu trop tendance à vouloir se faire passer pour grands. Son art est fait de discrétion et de rigueur. Le spectaculaire lui-même y demeure pudique. L'auteur de ces œuvres belles et profondes que sont *Casque d'or* (1951) et *Rue de l'Estrapade* (1952) ne hausse jamais le ton. Disons, en style vulgaire, qu'il ne la ramène pas et ne cherche ni à épater les gens ni à leur en mettre plein la vue. Ou plus exactement (pour user du langage des truands de *Touchez pas au grisbi*, 1954) : Non jalmince des caïds, il n'affure pas des fafiots des carreurs pour arnaquer fissa les clilles et les bidonner avec des trucs comac. Ce qui veut dire que, non jaloux des cinéastes d'envergure, Jacques Becker ne profite pas de l'argent des producteurs pour escroquer au plus vite les spectateurs et les tromper avec une mise en scène à effets.

Cet argot qui donnait tant de saveur au livre d'Albert Simonin, *Touchez pas au grisbi*, apparaît dans le film sous une forme atténuée. Becker prétendit avoir voulu éviter les sous-titres. En réalité, il s'agit d'une des modifications, parmi beaucoup d'autres, subies par le texte original. D'un roman noir dont le style était déjà cinématographique, au sens populaire de l'expression, Jacques Becker a fait un film où l'action cesse d'être le plus important. Gageure qu'il fallait beaucoup de talent pour tenir. Si nous devions rapprocher ce grand film d'un autre de qualité équivalente, ce ne serait pas d'un des chefs-d'œuvre du cinéma policier, mais d'*Umberto D.* L'admirable séquence où Vittorio de

*Touchez pas au grisbi.* [Cl. Radio-Cinéma.]

Sica nous montrait minutieusement comment sa petite
bonne mal réveillée faisait le café matinal, a son homologue
dans le *Grisbi* et c'est le sommet de l'œuvre : ce frugal
dîner de garçons entre Jean Gabin et René Dary que suit
la scène, non moins belle sans être davantage animée, de leur
toilette et de leur coucher.

Cela ne signifie point que les moments d'action aient été
sacrifiés par Jacques Becker. Ils sont au contraire dignes
des meilleurs *thrillers* et tels que les films français du genre
échouent presque toujours à les réaliser. Mais, contrairement
à ce qui se passe d'ordinaire au cinéma, ces bagarres meur-
trières ne trouvent pas en elles-mêmes leur raison d'être.
Elles ne sont ici tellement émouvantes que par référence
à un contexte psychologique. Du roman d'Albert Simonin,
Jacques Becker s'est principalement attaché à rendre le
plus grave : l'histoire d'un gangster vieillissant qui échoue

au moment même où il allait se retirer victorieusement
« des affaires ». Or cet échec est dû à ce qu'il y a de meilleur
en lui : son amitié pour un camarade dont il préfère le salut
à celui de sa fortune et au sien propre.

Cette camaraderie virile est le vrai sujet du film. Elle nous
est décrite avec une si chaude tendresse, une complicité
tellement humaine que nous avons tendance à oublier la
nature plutôt particulière des affaires traitées par ces deux
hommes dont nous nous sommes faits des amis. Ne montrer
que les aspects chevaleresques du monde de la pègre serait
dangereux et malhonnête si ces héros d'un nouveau genre ne
se trouvaient placés en ce point de plus haute tension et
peut-être d'éclatement où là vie n'est souvent si ardente
que pour jeter ses derniers feux. Il n'est plus de coupables
devant l'innocence de la mort.

René Dary tient le coup à côté de Jean Gabin, et ce n'est
pas peu dire. Car jamais Gabin n'a été aussi émouvant et
vrai avec d'aussi sobres moyens. Une fois encore, son mythe
s'approfondit et se renouvelle. Il n'est plus question pour
lui d'une femme trop aimée dont la vie, dont la mort l'éloi-
gnent. Les plus grandes amours ont quelque chose de mièvre
si on les compare à l'amitié unissant deux hommes qui ont
risqué leur existence ensemble. Car c'est de cela qu'il s'agit,
en dépit du caractère non seulement illégal, mais criminel,
du combat. Et c'est pourquoi je ne pense pas que ce film soit
en définitive d'un mauvais exemple. La leçon que nous donne
une fois de plus Jacques Becker n'est pas moins valable
pour nous être administrée par des voies inattendues.

Aucun hiatus entre ce que l'auteur nous dit et la façon
dont il le dit. Nulle complaisance. Point d'arabesques trompeuses autour de pauvres phrases. Pas davantage de ces
fausses audaces dont les auteurs sont les premiers épatés
et que nous finissons, dans notre lassitude, par faire semblant d'admirer. Il nous plaît que Becker soit un disciple
de Jean Renoir (il fut son assistant pour plusieurs
films dont *La Grande Illusion*) : Jacques Becker, homme
probe, créateur discret, grand artiste.

## « RAZZIA SUR LA CHNOUF »

Il faut saluer comme un événement la fidélité de l'adaptation dont le roman d'Auguste Le Breton, *Razzia sur la
chnouf* (1955), vient d'être l'objet. Shakespeare ne fut pas
respecté à ce degré par Laurence Olivier, ni Stendhal par
Claude Autant-Lara et point davantage Dickens par David
Lean. Robert Bresson lui-même fut moins attentif à la lettre
de *Journal d'un curé de campagne*. Le film d'Henri Decoin suit
de si près le texte original que les rares scènes qui ont été
supprimées ou modifiées sont toutes détectées à mesure par
le lecteur devenu spectateur. Comparaison presque toujours impossible en la matière : les changements sont trop
nombreux pour être décelés. Ou alors il y faut des spécialistes qui, tel M. Henri Martineau avec Stendhal, voient se
dérouler en même temps que la projection, le film de l'œuvre
intégrale sur l'écran de leur mémoire.

L'argot qui donnait tant de saveur et de poésie à *Razzia
sur la chnouf* a été utilisé plus discrètement dans le film.
C'est la seule différence appréciable avec le livre, exception
faite de l'inévitable édulcoration des scènes érotiques deve-
nues allusives au cinéma. Il n'en demeure pas moins que des
sous-titres seraient souhaitables. Ils auraient en outre l'avantage d'accentuer l'exotisme du « milieu » et de nous dépayser
plus encore au sein même de notre propre ville, ce qui serait
assez piquant.

Un des principaux intérêts de *Razzia sur la chnouf*, le livre
et le film, est d'ordre documentaire. Nous avons l'impression
de lire et de voir le premier témoignage à peu près authentique sur ce monde de la drogue qui a servi déjà de sujet à

tant de romans et de films fantaisistes. Il semble que l'auteur ait connu certains de ces trafiquants dont il nous décrit l'organisation en enquêteur plus encore qu'en romancier. *La chnouf*, c'est l'héroïne dont le commerce s'exerce à l'échelle internationale, le cloisonnement restant étanche entre chefs suprêmes, responsables locaux, agents d'exécution (dans les divers sens du mot, car il y a aussi les tueurs de service), grossistes, demi-grossistes, détaillants, revendeurs, etc. Là encore, ce film révèle une exceptionnelle fidélité. L'histoire de France en général et celle de Napoléon en particulier ont été traitées par M. Sacha Guitry avec infiniment plus de désinvolture que cette histoire de la drogue, en 195... à Paris. On aurait pu donner un titre stendhalien à cette œuvre : *La blanche et le noir*. Lisez : *L'héroïne et l'opium*.

*Razzia sur la chnouf* est peut-être le meilleur film d'Henri Decoin. Le début est un peu long. On y reconnaît l'influence de *Touchez pas au grisbi*, notamment dans un style à dessein familier, qui contraste avec l'existence irrégulière des gens du « milieu ». Becker alliait de façon magistrale le lent et le violent. Rien de pareil ici. Nous avons l'impression de piétiner. Et puis, peu à peu, un charme nous prend. L'action devient impressionnante, oppressante.

Henri Decoin a traité avec une discrétion qui n'en est que plus agissante sur les sensibilités, les aspects pittoresques de son sujet : divers milieux du « milieu », clandés (entendez : lieux publics clandestins), boîtes de nuit, fumeries. Une des séquences les meilleures est celle du bistrot où les noirs s'abandonnent à l'ivresse de la marijuana. Nous retrouvons le dégoût que la lecture du chapitre correspondant nous avait fait ressentir. « Ah ! se balancer tout habillé dans la flotte pour se décrasser de tout ça... » Il y a là quelques plans inoubliables.

Mais l'envoûtement vient d'ailleurs. La magie opère une fois de plus par les vertus de l'invisible : les stupéfiants, ces drogues dont nous n'apercevons que les anonymes emballages. Tant d'agitation, de hantises, de folie, de crimes pour cette poudre blanche. Nous entrons dans cette ronde absurde et avons par moments du mal à retrouver notre identité. Quelle délivrance, alors !... La comédienne qui interprète Léa joue si bien son rôle de possédée qu'elle fait peur. Quant à Jean Gabin, il n'a, bien sûr, qu'à être là, comme toujours, pour que son personnage s'impose à nous avec la force de l'évidence. Un personnage pressenti infiniment plus

*Razzia sur la Chnouf.* [Cl. Radio-Cinéma.]

riche que ce que l'on nous en rapporte. Derrière le texte que dit Jean Gabin, il y a toujours le contexte de la vie.

# V

## « DU RIFIFI CHEZ LES HOMMES »

Le metteur en scène américain Jules Dassin, aidé par René Wheeler pour l'adaptation, a tiré *Du Rififi chez les hommes* (1955) d'un célèbre roman « Série noire » d'Auguste Le Breton. Le rififi, c'est la bagarre, en argot. Les hommes, ce sont les durs, les truands, les caïds, les piqueurs, les marlous, les malfrats, les battants, les balestes, bref : les gars du « milieu ». Joli type d'hommes à donner en exemple ! Il est vrai que ce film est interdit aux moins de seize ans. Aucun danger, bien sûr, à dix-sept ans... Tout finit par une tuerie générale. (Le cinéma policier a au moins cela de commun avec un certain théâtre d'autrefois, lequel a ses lettres de noblesse.) Ce qui donnera peut-être à réfléchir aux apprentis gangsters.

Il n'empêche que, pendant les vingt-cinq minutes de cambriolage, nous n'osons pas respirer tant nous avons peur que nos casseurs soient pris sur le fait. Impossible, au cinéma, d'être en dehors du coup. Même des mauvais coups. Acteurs et spectateurs sont unis dans la même complicité. Cette longue séquence du fric-frac de la bijouterie est la plus étonnante d'un film où les surprises ne manquent pas (sauf en ce qui concerne le dénouement : nous savons à l'avance que pas un de ces méchants — que nous avons un peu trop tendance à trouver gentils — n'en réchappera.

Après un nocturne parisien d'une grande qualité, la musique de Georges Auric elle-même s'est tue. Nous n'entendons que les bruits étouffés que fait, en perçant le plafond, une équipe on ne peut mieux outillée et entraînée. (Ces garçons sont vraiment très méritants dans leur spécialité et ne ménagent ni leur intelligence ni leurs muscles.) Un silence

*Du Rififi chez les hommes.* [Cl. Radio-Cinéma.]

plus total encore règne dans la salle oppressée que détendent seuls quelques longs soupirs unanimes lors des brefs moments de relative détente, c'est-à-dire chaque fois qu'un obstacle a été surmonté.

Dans un autre style, la dernière scène du film est d'une aussi belle venue. Au volant de sa voiture décapotée, Jean Servais, alias Tony le Stéphanois, unique survivant mais pour peu de minutes, ramène un petit garçon arraché à la bande rivale qui le gardait en otage. Blessé à mort, perdant abondamment son sang, il lui reste juste assez de force et de volonté pour gagner Paris. Tandis que le paysage se brouille de plus en plus sous son regard, nous traversons avec lui des contrées fantomatiques aux frontières de la vie réelle et d'un univers frappé de démence.

Pour le reste, à l'exception de la méticuleuse préparation

du fric-frac, *Du Rififi chez les hommes* manque un peu de
vraisemblance. L'un des thèmes les plus intéressants du
roman de Le Breton (ne devrait-on pas dire du Breton —
comme on disait du Stéphanois ou du Nantais ?) a été négligé : celui du conflit de deux générations de truands. A sa
sortie de prison (il y a passé cinq ans), Tony, malade, vieilli,
trouve un « milieu » presque entièrement renouvelé. Il ne s'y
reconnaît pas ; on ne l'y connaît plus. Son personnage n'a
pas à l'écran l'humanité et le relief que nous aimions en lui
dans le roman. Mais Jean Servais est excellent.

A cette simplification près, Jules Dassin, auteur de ces
*Mystères de New-York* que fut son *Naked City* (*La Cité
sans voile*, 1948), s'est attaché à rendre fidèlement ces nouveaux *Mystères de Paris*. Fidèle à sa méthode de promener
le plus souvent possible la caméra dans les rues, il nous
montre beaucoup notre ville. D'où vient pourtant que nous
la reconnaissions si difficilement ? Non pas sans doute du
fait qu'il a choisi des extérieurs parfois ignorés des Pari-
siens eux-mêmes (je veux dire de ceux qui ne sont pas du
quartier). Nous fait-il admirer la rue de la Paix ou le pont de
Grenelle que nous ne nous sentons pas davantage chez nous.
Il sera instructif de comparer la Morgue, telle qu'il la voit,
à celle, bien française, bien de chez nous, que nous resti-
tuait Clouzot dans *Les Diaboliques*.

Le plus curieux est que ces images déroutantes sont de
Philippe Agostini. C'est donc que l'opérateur s'est soumis
à la vision de son metteur en scène. Et que l'enregistrement
brut de la caméra n'empêche pas les créateurs d'utiliser cette
mécanique à des fins personnelles. Ce qu'au reste nous savions
depuis toujours : tel est le grand mystère du cinéma !

Non seulement nous avons du mal à identifier dans
*Du Rififi* ce Paris familier, mais encore nous n'avons pas
l'impression de voir un film français. Il y a bien le dépaysement de l'argot et d'un certain cosmopolitisme. Le sentiment d'étrangeté (voire d'exclusion) vient pourtant d'ailleurs. Non avions beau ignorer ce sordide univers de la
drogue que nous décrivait Henri Decoin, dans *Razzia sur
la chnouf*, aucun détail ne nous y étonnait vraiment ; rien
n'y détonnait.

Le style particulier de Dassin n'est sans doute pas davantage en cause. Tournant aux États-Unis, il révélait dans sa
manière quelque chose d'européen (le néo-réalisme italien
l'a influencé ; il est lui-même d'origine italienne et tient

admirablement dans *Du Rififi* le rôle du « Rital » perceur de
plafonds). Travaillant en Europe, c'est le ton américain
qui l'emporte. Ce film ressemble beaucoup plus à un *thril-*
*ler* de qualité qu'à un policier français. Et la présence,
constante mais à mesure dénaturée, de Paris n'y change rien.
En somme Dassin a remis sous la tutelle américaine le
policier noir qui avait enfin été francisé par Simonin et
Le Breton.

Ne serait-ce pas une question de méthode ? Si nous ne
pouvons suivre les dialogues qu'avec peine, c'est peut-être
moins à cause de l'argot qu'en raison du rythme des conversations. La direction *américaine* de Dassin ne semble pas
attacher au texte l'importance qu'il a dans le cinéma français. Il s'agit d'aller vite et sans faire de belles phrases.
Le minimum de mots dans le minimum de temps. Je ne
m'étonne soudain plus d'avoir tant de difficulté, malgré une
longue expérience, à entendre ce que disent les acteurs
américains. Français, mais dirigés par un Yankee, je les
comprends à peine davantage.

## VI

## DIALECTIQUE DU SURSIS

On dansait autrefois non loin des gibets. Nous ne sommes guère plus civilisés. Nos kermesses sont cinématographiques. Tant à Paris qu'en province, la sortie de *Cellule 2455, couloir de la mort*, était prévue pour coïncider avec l'exécution de Caryl Chessman, auteur du témoignage d'où fut tiré ce film. Un nouveau sursis survenu au dernier moment, un de plus après tant d'autres, ouvre de nouvelles espérances à cette publicité indécente : un homme attend depuis huit ans de pénétrer dans la chambre à gaz. Venez le voir souffrir.

Ne préjugeons pas l'état d'esprit des spectateurs. Il y a le sadisme ; la curiosité plus ou moins malsaine ; la sympathie. L'authenticité qui fait le prix de ce récit est de toutes façons adultérée à l'écran. *Cellule 2455, couloir de la mort*, ne serait qu'un roman criminel de plus, particulièrement attrayant, mais que nous ne lirions pas moins avec le détachement habituel si nous ne savions qu'il s'agissait d'une histoire vraie, racontée par celui-là même à qui elle est arrivée. Ce que vient confirmer, au milieu de l'ouvrage, cette précision dont nous nous étonnons d'être à ce point émus (alors qu'elle ne nous apprend rien) : « Whit, le héros de la première partie de ce livre, c'est moi, Caryl Whittier Chessman, San Quentin n° 66565, condamné à mort, maudit et damné.»

Or c'est, bien sûr, un acteur qui interprète dans le film le rôle de Chessman. Ce sont même deux acteurs, les frères Campbell, chargés tour à tour de représenter Whit jeune homme et Whit adulte. La ressemblance accuse la vraisemblance. Cet exceptionnel souci d'exactitude ne pouvait toutefois rien changer ici à l'inévitable falsification apportée par le film au livre.

Il en est d'autres. Presque toutes les adaptations cinématographiques édulcorent et banalisent leur sujet. Celle-ci a de surcroît le défaut de ne pas rendre sensible l'écoulement du temps, si bien que les séjours de Chessman en prison apparaissent d'une brièveté rassurante alors qu'il a pourtant passé le tiers de sa vie derrière des barreaux. Le film est sobre, relativement probe, mais sans éclat. A la place du vibrant et brûlant témoignage originel, nous avons un rapport honnête et froid.

Nous ne pouvions mieux attendre du metteur en scène, Fred F. Sears, qui réalise des films à la chaîne pour la Columbia : *The Miami Story*, *El Alamein*, *Massacre Canyon*, *The Outlaw Stallion* pour la seule année 1954, sans oublier une autre bande tournée pour les Artistes associés, *Overland Pacific*. Productions mineures. On ne demande à ce genre de techniciens que de réinscrire fidèlement sur la pellicule ce qui a d'abord été écrit dans le moindre détail par d'autres. Aucune surprise n'est possible, ni bonne ni mauvaise.

Le propos avoué de Caryl Chessman était d'essayer d'expliquer comment on devient un gangster. Les spécialistes de la criminologie ont, paraît-il, trouvé maints enseignements dans son livre. Mais chaque cas est unique. Singulièrement celui de cet homme à propos duquel on a pu parler de génie. Il semble difficile d'en inférer d'une personnalité aussi peu à la mesure ordinaire au commun des malfaiteurs.

Les dons de Chessman, qu'il est le premier à reconnaître, sont éclatants. Il est assez cultivé pour ne pas rappeler sans arrière-pensée l'asthme dont il souffre. Ne cite-t-il pas Swinburne à la veille de mourir ? Si on le compare à François Villon, il ne trouve pas le rapprochement abusif. Enfant, avant un accident d'auto (dont il laisse entendre qu'il fut à l'origine de sa névrose), il avait des dispositions pour la musique. Après s'être essayé, non sans succès, au dessin, il se découvrit une vocation de littérateur.

Mais Chessman est de ces auteurs que l'on dit engagés. Il attendit donc avant d'écrire d'avoir vécu : dans la peur et la honte d'abord, puis dans la révolte et la haine. Lyrisme de la vitesse (les autos volées jouent un rôle essentiel dans son épopée). Le danger considéré comme un jeu. Le crime comme une ascèse. (A seize ans, et déjà en prison, il dit à ses gardes-chiourme : « Plus la vie sera dure, plus je serai content. ») Un peu fou, mais raisonnant sa démence. Indifférent à la mort. Surtout à la mort des autres (il ne pensera à la sienne qu'après sa condamnation) : il joue si allégrement du revolver qu'on se demande par quelle chance il put ne jamais être accusé d'un assassinat.

S'il fut condamné à la peine capitale, ce ne fut pas pour un meurtre, mais pour des rapts et des viols dont il se proclame du reste innocent, ce qui est possible, car ils ne sont pas dans son style. De même qu'il ne reste pas grand-chose dans le film de la frénésie criminelle de ce possédé, de même le défi qu'au seuil de la mort il a lancé à ses juges, n'est-il pas suffisamment rendu sensible à l'écran, pas plus que l'insolence avec laquelle il l'exprime : « Tuez-moi... si vous le pouvez ! »

Tout son génie, Caryl Chessman l'applique désormais à sauver sa vie. S'étant fait juriste, il a aussitôt excellé dans le droit, comme naguère dans l'illégalité. Sa cellule a été transformée en bibliothèque. On lui a donné un bureau dans le quartier des condamnés à mort. Il travaille sans arrêt, utilisant les moindres possibilités (que souvent personne n'avait décelées avant lui) laissées par le code ou la jurisprudence. Une fois, il arriva à trois jours de la date fixée pour son exécution. Et l'emporta au dernier moment. Ainsi vient-il de franchir de nouveau l'échéance. Il sait qu'il sera selon toute probabilité vaincu à la fin, mais il n'avouera sa défaite que par son cadavre. Le film ne rend pas l'angoisse de cette lutte ni sa tragique beauté. Inutile d'aller le voir. C'est le livre qu'il faut lire.

# QUATRIÈME PARTIE

# BONNE ET MAUVAISE PEINTURE

# I

## VAN GOGH

C'est un film attachant qu'Alain Resnais consacra à Van Gogh, d'après un scénario de Gaston Dielh et de Robert Hessens (1948). A l'aide de ses seules toiles, accompagnées d'un sobre commentaire et d'une musique aussi discrète que prenante signée Jacques Besse, la caméra nous retrace la vie du grand peintre. Il n'apparaît jamais de marge ou de cadre entre ce qui est le tableau et l'univers environnant, l'écran étant, à chaque instant, tout entier occupé par l'œuvre photographiée dans son ensemble ou fragmentairement. Avant de nous faire penser à l'artiste particulier auquel il est consacré, c'est plus généralement à la peinture et à ses rapports avec le cinéma que ce film nous invite à réfléchir. L'insolite est, en effet, qu'Alain Resnais transpose un art dont l'immobilité et la couleur sont les caractéristiques principales, en un autre dont le langage est voué par essence au mouvement et, par nécessité provisoire, au noir et blanc. Car les temps ne sont pas venus où le technicolor ou tout autre procédé pourra reproduire une œuvre picturale sans la dénaturer. Il va de soi qu'un spectateur à qui Van Gogh serait inconnu ne pourra, en voyant ce film, se faire une idée de la qualité irréductible de son génie. Mais tous ceux qui sont familiers avec cette peinture de lave, de soleil et de sang la retrouveront si intensément que, une fois la projection achevée, ils auront l'impression d'avoir assisté à ce prodige : une photographie en couleur qui respecte dans leurs moindres nuances, et jusques en leurs plus tactiles aspects, des tableaux dont aucun fac-similé n'avait encore réussi à capter l'apparence.

André Malraux a construit sur le musée imaginaire et

omniprésent des albums de reproduction, une esthétique nouvelle. Il est incontestable que cette invention par les arts plastiques de ce que l'auteur des *Voix du silence* appelle leur imprimerie, nous permet de multiplier à l'infini nos références et d'élargir nos perspectives. Il reste que rien ne remplace le contact direct entre l'œuvre et l'homme. Je l'ai vérifié une fois de plus le jour où, pénétrant pour la première fois dans la chapelle Sixtine, j'ai éprouvé d'abord comme une déception en découvrant quasi éteintes les peintures du plafond que les reproductions m'avaient fait croire plus vivement colorées. Tout était là de ce que je connaissais et, pourtant, je ne reconnaissais rien. Il me fallut de longues minutes d'accommodation pour renoncer à ce que je croyais savoir, et tout rapprendre à partir de l'original. Au bout d'une demi-heure, j'étais conquis et plus ébloui par Michel-Ange que je ne m'y étais attendu.

La perfection des moyens actuels de reproduction n'est pas telle que les vraies couleurs d'un tableau ne soient point presque toujours trahies. Il suffit, par exemple, de feuilleter les divers cahiers consacrés à Van Gogh pour s'apercevoir qu'une même toile, le célèbre *Pont de l'Anglois*, y apparaît chaque fois dans un éclairage différent et que le rapport des tons n'y est jamais le même d'une planche à l'autre. Considérée en soi, chacune de ces reproductions semble coïncider à peu près avec le témoignage de notre mémoire ; mises à côté les unes des autres, elles révèlent au contraire une telle marge d'erreurs que nous mesurons combien gravement l'original a été falsifié.

Renonçant au cinéma en couleur (qui est plus imprécis encore), Alain Resnais échappe à ce danger. Et la caméra lui permet de ranimer par d'autres voies les tableaux que l'objectif avait d'abord tués. Avant lui, Luciano Emmer avait utilisé le mouvement pour nous faire comprendre l'œuvre de Giotto dont son appareil *racontait* les fresques. Nous nous déplacions pour la première fois, grâce au cinéma, *à l'intérieur* de cet univers que nous avions cru fermé sur lui-même : une peinture. La réussite d'Emmer était déjà saisissante, mais elle demeurait entachée d'un certain esthé- tisme qui en compromettait les chances. Resnais est autre- ment rigoureux. Et sa connaissance des moyens du cinéma est telle qu'il n'hésite pas à employer, pour un film consacré à la réalité figée d'une œuvre picturale, les procédés en usage pour les bandes habituelles.

C'est ainsi qu'un simple mouvement d'appareil (mais d'une grande force expressive) nous fait plonger vers la maison de Vincent pour nous arrêter au seuil de sa fenêtre, que nous retrouvons en contre-champ au plan suivant, vue cette fois de l'intérieur, grâce à un autre tableau aussi célèbre. Autrement dit, la caméra a d'abord cadré dans sa totalité la première de ces toiles, pour peu à peu réduire le champ de notre vision en passant de la petite place d'Arles à la maison et de la maison à la fenêtre, seule visible en gros plan à la fin et reprise en gros plan de l'autre côté, jusqu'à ce que, en un mouvement contraire, elle s'éloigne, la caméra nous découvrant peu à peu en reculant toute la chambre de Van Gogh. De même, une extraordinaire promenade de l'appareil par rapport à la toile arrive-t-elle à étendre aux dimensions mêmes de la capitale cette *Vue de Paris*, sur l'écran plus vrai que Paris et, si possible, plus Van Gogh que nature. Ou encore des mouvements bas-haut très rapides sur des arbres en fleur donnent-ils une intense impression d'allégresse et de vie.

Mais Alain Resnais va plus loin, réussissant à nous assimiler à Van Gogh lui-même. Dans cette cour fermée, où des prisonniers tournent indéfiniment en rond, grâce au mouvement indéfini de la caméra, nous sommes avec Van Gogh, si même nous ne sommes pas lui. Et, avec lui, nous ne pouvons nous évader : l'appareil escalade lentement le haut mur nu, il n'en finit pas de grimper le long de ces pierres l'une sur l'autre entassées et scellées, et c'est la toile du maître qui semble elle-même n'avoir plus de fin. Quant au symbole, voulu par Resnais mais sans doute après Van Gogh lui-même, il est de ceux qui coïncident si exactement avec la réalité évoquée que nous ne l'en distinguons plus.

Enfin la caméra nous tire après elle d'arcade en arcade vers la sortie de la maison de santé de Saint-Rémy, au point que nous avons l'impression d'en être libérés en même temps que Van Gogh. Mais la rémission est de courte durée. Et la folie de Vincent, d'abord vaguement menaçante, puis de moins en moins assourdie et qui éclate soudain tel un de ses noirs soleils, nous en éprouvons nous-mêmes la catastrophe.

\*\*\*

Van Gogh, *Maison de Vincent à Arles.* [Photo Bulloz.]

Évidemment, ces impressionnistes et ces habitants d'Arles qui parlent américain sont gênants. Cela dit, *La Vie passionnée de Vincent Van Gogh* (1956), film de Vincente Minnelli, est relativement d'une fidélité et d'une honnêteté dignes d'estime. Non seulement la biographie du peintre est en gros respectée, mais encore nous notons un effort louable des auteurs pour tenter de donner d'une œuvre picturale pourtant difficile autre chose que des reproductions plus ou moins fidèles.

Nous voyons certaines des plus belles toiles de Van Gogh. Le procédé employé, dit metrocolor, en trahit au minimum les couleurs. Mais plus souvent encore ce sont les visages et les paysages vus, les maisons et les chambres habitées par Vincent qui nous sont montrés non point tels qu'ils furent ou qu'ils sont effectivement ou que nous pouvons les imaginer, mais tels que l'artiste les a peints.

Van Gogh, *La Chambre d'Arles*. [Photo Giraudon.]

Le facteur Roulin, avec l'éventail de sa barbe rousse, est
devant nous, comme nous le connaissons si bien, sans que le
célèbre portrait de 1888 qui le représente soit une seule fois
exhibé. La chambre d'Arles a été minutieusement recons-
tituée. Les deux chaises de paille que nous y voyons sont
là, comme dans le tableau, nous donnant une première
idée de la fameuse chaise peinte deux mois plus tard.

La plus étonnante réussite du film est le café d'Arles, la
nuit, sous les apparences mêmes de l'œuvre qui est fixée
en nous. Le bouquet posé sur le comptoir, au fond de la toile,
porte sur l'écran même la griffe irremplaçable de Van Gogh.
Et ces lampes qui, sous son regard halluciné, se déforment
et explosent. Il ne s'agit pas d'une reproduction du tableau
mais d'une reproduction de ce que le tableau reproduisait.
Tableau que nous voyons lui-même un peu plus tard et qui
nous paraît avoir été peint non pas d'après Van Gogh,

mais d'après ce que nous avions vu en même temps que Van Gogh et par ses yeux.

Vincente Minnelli essaye donc avec des bonheurs divers de mettre le spectateur à la place même d'un peintre dont l'inspiration est portée à un point dangereux d'ébullition. C'est tenter de nous faire entrer dans les raisons du génie comme dans la déraison de son incandescence.

Kirk Douglas incarne un peu trop extérieurement et avec indiscrétion, mais non sans intelligence, un peintre dont tant de portraits par lui-même lui ont permis de retrouver non seulement l'aspect extérieur mais le pathétique rayonnement. A ses côtés, la présence d'Anthony Quinn dans Gauguin est si péremptoire que nous ne songeons pas à vérifier la ressemblance. (C'est décidément un grand comédien qu'Anthony Quinn.)

Les deux hommes parlent. Ils parlent de leur art. Lorsque Vincent est seul, ce sont des extraits de ses lettres à Théo qui lui permettent de s'exprimer devant nous. Il s'agit presque toujours de sa vocation et de la manière patiente, passionnée qui lui permit peu à peu d'y répondre. Voilà qui est rare au cinéma, à Hollywood comme ailleurs : des conversations ou des monologues consacrés à l'essentiel. Non pas aux automatismes de la vie (fût-ce celle d'un artiste), mais à ce qui en est la raison d'être et l'irremplaçable cœur.

Ce film est fidèle encore en ce qu'il nous rappelle que Van Gogh était grand admirateur d'une certaine peinture contestable. (Il assurait que Zola était *aussi beau* que Millet.) Voilà le grand mystère de cet homme et de son œuvre. Des deux, c'est Gauguin, et de très loin, qui a l'idée la plus lucide, la plus géniale, de ce qu'est, de ce que sera la peinture moderne. Van Gogh, lui, et pas seulement lors de ses débuts solitaires, est ennemi de l'abstraction. Il évoque sans sourire *dame Nature*. Il croit copier ce qu'il voit. Telles sont ses conceptions : à l'opposé de ses réalisations. Car ce qu'il peint est tellement en avance sur l'art de son temps que celui du nôtre ne l'a pas encore rejoint.

On pourra regretter dans le film de Minnelli l'absence presque complète de natures mortes. En revanche, les tournesols ont été excellemment reproduits. La période parisienne de la biographie a été picturalement négligée. Nous attendons en vain l'atelier de la rue Lepic, le boulevard de Clichy, la terrasse des Tuileries. Et, surtout, la vue panoramique de la capitale dont Alain Resnais avait fait dans son beau *Van Gogh* un si magnifique usage.

*La Vie passionnée de Vincent Van Gogh* confirme la volonté nouvelle des cinéastes américains de ne plus traiter *de chic* et sous leurs seuls aspects commerciaux, des sujets empruntés à l'art ou à la littérature. Voir ce film, ce n'est point pour autant participer à la trahison des œuvres évoquées. Mais les servir. Et s'enrichir. Le défaut de ce *Van Gogh* est d'être malgré tout un peu plat et souvent ennuyeux.

## II

## LES TRANSFIGURATIONS ABUSIVES

Il suffit d'un rayon de soleil pour donner une sorte de relief à l'aquarelle la plus plate. Les éclairages savants des musées modernes renouvellent les tableaux que nous croyions connaître, leur donnant une vie saisissante, mais qui n'est peut-être plus tout à fait celle de la peinture. Voir, par exemple, à Berlin, le chatoiement des somptueuses mais un peu trop neuves étoffes dont sont vêtues les belles clientes de Gersaint. Voir le fameux homme au casque d'or, tellement rutilant, en effet, dans le rayonnement des projecteurs que le génie de Rembrandt n'est plus seul en cause, qui avait du reste bien pris garde de n'en pas faire autant. Mais si la lumière modifie ainsi les œuvres d'art sur lesquelles elle joue de l'extérieur, que sera cette lumière définitivement annexée par la même œuvre *photographiée* dont les feux, assimilés par elle, ne se distinguent plus des siens !

On n'a pas encore pris suffisamment conscience du pouvoir transfigurateur de la photographie dans ce domaine. La science du cadrage et de l'éclairage, le choix du détail, l'inspiration qui trouve toujours de quoi illustrer ses promotions ou ses rapprochements les plus audacieux sont, dans ce miracle mécanique, la part de l'homme. Elle peut aller loin, comme on a vu avec André Malraux dont la *Psychologie de l'Art* est une manière de chef-d'œuvre, et non pas seulement quant au fond : le regard en jouit comme d'un objet heureux. Que nous importent alors certains raccourcis peut-être aventurés ? Sur les œuvres de l'Homme, nous avons l'œuvre d'un homme et qui nous suffit.

Mais voici un court métrage, *Les Charmes de l'existence* (1949) qui, par des voies opposées, nous propose la même énigme. On ne nous invite plus ici à l'admiration. Bien au contraire se moque-t-on, non sans raisons, des œuvres les plus représentatives de l'art officiel des années 1900. Et le commentaire discrètement ironique de Jean Grémillon souligne plus encore le ridicule flamboyant des exemples rassemblés par Pierre Kast sur la peinture « pompier », (sujet dangereux, même et surtout pour ceux qui la couvrent de justes sarcasmes), évitant les contre-poncifs habituels et renouvelant le sujet en profondeur.

Il advient pourtant ceci d'inattendu : certaines de ces toiles sont à ce point dignifiées par la photographie que nous en oublions le propos satirique de nos auteurs. En face d'un visage de jeune femme un instant entrevu, nous songeons à Botticelli. Et devant la poussière ensoleillée de tel autre tableau qui représente une plage, à Elstir plus encore qu'à Monet, de toutes façons à un impressionnisme dont l'action sur notre sensibilité demeurerait égale aux plus vives. Nous avons, dans le premier cas, fait aussitôt la correction : la couleur de ce portrait le déshonore très probablement ; au surplus, un faux Botticelli est d'autant plus agaçant que nous nous éloignons davantage de l'époque où peignait (et inventait) l'irremplaçable maître. Quant au second exemple, le mouvement de la caméra se charge bientôt de nous édifier, dont l'œil parcourt objectivement une toile que nous avions d'abord cru réduite à ce qui était seulement le fond de son décor : c'est un second plan inquiétant de banalité, puis, sur le devant de la scène, des personnages franchement grotesques.

Que faire pourtant de notre premier saisissement ? Comment renier ce que nous avons éprouvé ? Il ne fait pas de doute qu'en présence de cette toile ou du fragment de cette autre, aucune difficulté ne subsisterait, la matière picturale se révélant au premier regard dans sa platitude ou sa hideur vraies, dont éphémèrement et non moins abusivement le pouvoir transfigurateur de la photographie les avait rachetés. De même une *Rixe à l'auberge*, de Goya, première manière, que Malraux reproduisait dans son *Saturne* pour nous montrer à quel point y manquait encore, selon lui, le génie de Goya, nous paraissait-elle, en toute franchise, porter déjà *l'accent de l'incurable nuit.* Sans doute était-ce la photographie qui nous égarait ainsi, en donnant notamment aux noirs une valeur que probablement ils n'avaient pas dans l'original. Mais il ne faut pas oublier alors qu'une œuvre mineure peut être promue au rang de chef-d'œuvre grâce aux mêmes sortilèges.

Quoi qu'il en soit, le cinéma, dans la mesure où il ajoute le mouvement à la photo, ne permet pas à ce genre d'illusion de nous abuser bien longtemps. Ou alors il faudrait que le metteur en scène trichât délibérément en arrêtant, au moment opportun, l'investigation de sa caméra, ce qui serait sa façon à lui de fermer les yeux à l'évidence. Nous n'ignorons plus, notamment depuis les réalisations de Luciano Emmer et d'Alain Resnais, que le plan fixe est la négation du film sur l'art, alors qu'il est possible de l'utiliser sans trahison et même avec efficacité dans les autres œuvres de l'écran. Le cinéaste ayant affaire à un spectacle vivant peut occasionnellement jeter sur lui un regard figé sans attenter pour autant à son foisonnement. Tandis que, dans un film sur l'art, il n'est d'autre mouvement concevable que celui de la caméra. Mais il vaut celui de l'existence. De par sa nature même le cinéma refuse le statique et met en branle l'immobile lui-même.

Giotto et Van Gogh ont beau avoir recréé leur univers qui diffère de celui que nous révèle notre vision, celui-ci s'anime sur l'écran grâce à l'animation de la caméra, et par-delà les transpositions d'un art éminemment personnel, emprunte au monde de tous les jours l'apparence même de la vie. Impression plus ressemblante encore lorsqu'il s'agit, comme dans *Les Charmes de l'existence*, de peintures sans génie qui, de cette vie, sont le plat décalque. Ces femmes, avant de nous apparaître dans le ridicule d'une époque démodée, sont d'abord de très exactes images de leur sexe. Nous voyons battre leurs paupières et se soulever leurs seins. D'où vient alors que nous les regardions ainsi prendre vie, nouvelles Galatées, sans en éprouver nul désir ? Certes, les transfigurations de l'art font appel à une autre sorte d'amour et qui tue l'amour. Mais il ne pourrait s'agir de cela en la circonstance. Au contraire la fidèle transcription de la photographie, ou la photographie de tableaux qui ressemblaient eux-mêmes à des photographies, s'adressent à la part la plus animale de l'homme. Ces charmes de l'existence, insolitement sans pouvoir sur nos sens, rencontrent ici un mystère.

On dirait que les auteurs de ce film ont eu un autre propos que celui qu'ils nous avouent et qui consiste peut-être à tourner insidieusement en dérision le corps même de la

*Les charmes de l'existence*, de Pierre Kast.

femme. L'époque, il est vrai, ne lui a, en la circonstance, que trop imposé sa marque. C'est étonnant avec quelle facilité l'anatomie féminine se plie elle-même à la mode ! Chair curieusement malléable que celle-là : un nu de femme et qui n'est que nu, principalement un nu photographique, est par nous aussitôt daté 1890, 1900 ou 1925 sans qu'il nous soit besoin de faire appel à aucune indication extérieure. Il en va de même avec la (mauvaise) peinture lorsqu'un véritable artiste n'est pas intervenu pour rendre son modèle aux formes pures de l'Ève éternelle.

Le cinéma, qui est un art, aurait permis à Grémillon et à Kast d'accomplir cette récréation qu'interdit au contraire la photographie. Mais, sous couvert de moquer une mode, ils se sont au contraire complu à mettre l'accent sur des ridicules moins éphémères. Tout se passe comme s'ils avaient profité des laideurs d'une époque pour souligner ce qui, dans un nu féminin de n'importe quel temps, ne peut-être transposé sur le plan du beau sans cette sorte de mensonge qu'est toujours la vision d'un amant ou celle d'un artiste. Qu'y a-t-il de plus lourdement figé et de plus stupidement inerte qu'une croupe de femme dès lors que n'intervient pas le désir de l'homme ou cette forme privilégiée de l'amour qu'est l'œuvre d'art ? Jean Grémillon et Pierre Kast ne nous font plus rire seulement de la mauvaise façon de peindre, ou de la mauvaise façon d'être nue pour une femme, mais de la femme elle-même, mauvaise façon de l'homme. Ce dont le second de ces auteurs nous donne un nouvel exemple avec *Les Femmes du Louvre*, court métrage réalisé en 1951 avec la collaboration de Maurice Van Moppès. L'audace de Pierre Kast a été de rendre le regard de la caméra plus attentif que le nôtre. L'entrée au musée du Louvre est libre. On n'a jamais songé à l'interdire aux moins de seize ans. Ce film où Kast nous raconte la visite qu'il y fit a failli, en revanche, être interdit, même aux plus de seize ans. C'est qu'il a été y visiter les femmes : vêtues ou non, vieilles ou jeunes, elles y sont nombreuses comme on sait ; et les plus galantes n'y sont pas toujours les moins bien nées ou les moins bien peintes. Ajoutez un commentaire peu anodin. Tenez compte aussi de la plus suggestive des musiques — qui est pourtant signée Bach et Mozart. Vous comprendrez l'embarras de nos censeurs : l'attentat à certains mythes sacrés, l'irrespect le plus gênant pour le confort intellectuel et moral étaient flagrants. Mais si impalpables et ténus apparaissaient les véhicules de ces blasphèmes civiques qu'ils ne donnaient aucune prise. Faute de pouvoir couper dans le film, les censeurs se seraient couverts de ridicule en interdisant *Les Femmes du Louvre*. Ils ont peut-être failli à certains de leurs devoirs en fermant les yeux (et les oreilles) devant ce que ce film avait d'attentatoire aux convenances. Mais le vrai devoir des censeurs (puisque censeurs il y a) n'est-il pas de fermer les yeux (et les oreilles) le plus souvent possible ?

Jusqu'à présent, Pierre Kast a réalisé ce qu'il appelle très justement des « récits cinématographiques ». Il a fait servir la matière figée des œuvres sculptées, peintes, gravées ou dessinées à l'art le plus mouvant qui soit, le mouvement venant à la fois des allées et venues de l'appareil de prises de vues, du commentaire et de la musique. Tel le pinceau d'un projecteur, la caméra balaie la toile la plus célèbre, s'immobilisant soudain devant un détail jamais vu, ou que nous n'avions pas vu avec suffisamment d'attention pour comprendre son exacte portée. Même aux époques les plus convenues, les peintres sont révolutionnaires dans la mesure où ils peignent, d'après la et leur nature, ce qu'ils voient comme ils le voient. Rien de plus libre qu'un corps de femme, ni qui se moque plus spirituellement, plus gravement aussi, des interdits sociaux.

# III

## « LE MYSTÈRE PICASSO »

Invisible derrière sa toile éclatante, Picasso travaille. Des lignes serpentent, des arabesques se forment. Le dessin ici interrompu reprend là sans que nous sachions encore ou alors que nous ne savons déjà plus ce qu'il représente. Guettant le geste suspendu, nous essayons de deviner ce que va faire cette main que nous ne voyons pas. Telle petite étoile était prévue. Elle prend sa place à côté de ses pareilles. Mais nous n'attendions pas à l'autre extrémité du cadre cette silhouette incertaine dont l'esquisse aussitôt se modifie pour nous poser une nouvelle énigme. Parfois rien ne bouge plus sur l'écran dont l'immobilité n'est pourtant pas celle des œuvres achevées. Nous savons que le peintre, l'espace de quelques secondes qui nous semblent interminables, réfléchit. Et voici, fruit de sa brève méditation, la surprise d'un nouvel épanouissement.

Puis la couleur vient. Nous regrettons d'abord l'empâtement du dessin et son obscurcissement. Des larmes d'encre bavent, mangeant une jambe, effaçant un pied, tandis que Picasso est déjà occupé ailleurs. Mais ces sombres taches s'éclaircissent en séchant. Le dessin réapparaît sous le bleu moins foncé. Nous aimerions seulement que cette imagination trop inventive se repose. Un certain point de perfection a depuis longtemps été dépassé. Picasso en compliquant sa création l'abîme. Opération-destruction conduite de façon systématique et comme joyeuse. Nous songeons au chef-d'œuvre inconnu de Balzac : mais ici le temps est comprimé à l'extrême limite du possible. Il ne faut pas plus de quelques secondes pour que la toile blanche se noircisse de traits de plus en plus serrés. La caméra enregistrant sans trucage

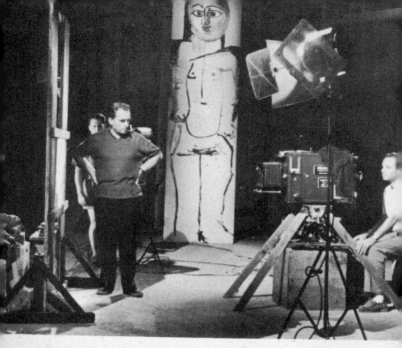

Tournage du *Mystère Picasso*. [Cf. Radio-Cinéma.]

la naissance et la formation du dessin dans son intégrité, l'accélération n'est pas celle du cinéma, mais celle d'une invention jaillissante. Nul délire cependant. Jamais main n'a été ainsi gouvernée.

La fleur est devenue poisson, puis coq, pour se muer enfin en chat. Picasso ne se moque pas de mon voisin, comme celui-ci le croit (et il chuchote qu'il n'est pas dupe, afin de se désolidariser publiquement de cette farce). Non, Picasso n'essaye pas d'en imposer à qui que ce soit. Simplement il s'abandonne à l'inspiration du moment : il s'amuse. Soudain, Clouzot, jusque-là silencieux et qu'on ne voyait pas plus que le peintre, apparaît à ses côtés pour prendre part au jeu. Il reste seulement quelques mètres de pellicule dans la caméra, ce qui signifie un travail de tant de

minutes. « Bien suffisant », dit Picasso, qui accepte la gageure.
C'est alors sur la toile hâtivement recouverte de lignes et de
couleurs une sorte de course contre la montre. Lutte *au
finish* qui ne fait pas très sérieux. Mais qui vous a dit qu'il
s'agissait *pour le moment* d'être sérieux ?

Voici que changent à la fois la conception du film et les
ambitions de Picasso. Le peintre se propose, désormais,
de montrer au public, les uns après les autres, les tableaux
ensevelis sous l'œuvre terminée. C'en est fini de ces dessins
animés où la seule révélation (malgré la nouveauté du procédé mis au point par Clouzot, mais la récompense de la
technique la plus savante est d'effacer ses traces), l'unique
véritable surprise, étaient de découvrir sur la toile l'univers
plastique de Picasso au lieu de celui de Walt Disney (combien vulgaire soudain) ou de Mac Larren (à quel point élémentaire). Désormais Clouzot présente à la caméra de Claude
Renoir divers états de la composition. Les étapes intermédiaires étant supprimées, seuls sont retenus les moments
significatifs du travail. La continuité de la projection n'est
plus dès lors celle de la création.

Me suis-je trompé ? Mais il m'a semblé que Picasso, s'il
s'amuse toujours (mais royalement, divinement), ne joue
plus. Cette plage de la Garoupe, composition si vaste que
l'écran a dû s'élargir aux limites du cinémascope, il essaye
avec acharnement et patience d'en fixer l'idée qu'il s'en fait.
Car il s'agit d'une idée plus que d'une impression. Comme déjà
précédemment avec ce taureau soulevant le matador sur
son dos puissant, taureau et homme d'abord facilement
reconnaissables, puis de plus en plus stylisés, cette plage
va sous le pinceau de Picasso vers une abstraction aiguë.
Jusqu'à ce que, mécontent de son travail, mais « voyant
enfin où il en est », le peintre détruise l'œuvre qui lui a donné
tant de mal pour la recommencer en quelques secondes,
linéaire, nue, réduite à l'essentiel.

Picasso ne vend pas la mèche ; il nous livre avec simplicité le secret non pas de sa composition, mais de son inspiration. L'extrême virtuosité et toutes les ressources d'une imagination foisonnante sont mises au service d'une pensée rigoureuse et comme d'une nécessité intérieure. Nous découvrons que les facilités apparentes de l'abstraction sont la
récompense d'un long effort et qu'il n'y a rien de plus complexe que cette simplicité.

Magnifiquement servi par Claude Renoir, Henri-Georges

Clouzot a fait ici le plus beau film de son œuvre. Bien qu'invisible, sa part personnelle y est aussi grande que celle du peintre. Certes, Picasso n'a pas besoin de Clouzot. Mais sans Clouzot il n'y aurait pas eu de film sur Picasso. Un grand cinéma mis au service d'une grande peinture : nous n'avions jamais vu cela.

La première séquence est muette. Il n'y a d'autre musique que celle, concrète, du fusain grinçant sur la toile. Puis Georges Auric intervient. Sa partition fait « ollé » et s'accompagne de castagnettes lorsque le sujet traité par Picasso est espagnol ; le compositeur (ou est-ce Clouzot ?) lui ajoute des tam-tams quand l'inspiration du peintre est africaine. Musique figurative pour un art qui ne l'est pas. Un peu trop couleur locale peut-être. Mais brillante, généreuse, intelligente, cherchant à rejoindre, sinon à égaler avec ses moyens propres, l'invention sans cesse renouvelée et toujours surprenante du génie.

# INDEX DES FILMS CITÉS

*Les photographies qui illustrent ce volume ont été obligeamment communiquées par les* Cahiers du Cinéma *et par* Radio-Cinéma *et ont été reproduites par courtoisie des producteurs et distributeurs.*

# TABLE DES MATIÈRES

ACHEVÉ D'IMPRIMER
LE 15 JUIN 1957
SUR LES PRESSES DE
L'IMPRIMERIE TARDY
A BOURGES

D. l. 2e tr. 57. Imp. 2524. Éd. 4.828

# COLLECTION " 7ᵉ Art "

*Imprimé en France.*

COLLECTION 7

ŒUVRES, FIGURES, ÉCOLES, PROBLÈMES, TEC

DU